D1292309

Enid Blyton

Le Club des Cinq

La locomotive du Club des Cinq

hachette
JEUNESSE

FRANÇOIS

12 ans.

L'aîné des enfants, le plus raisonnable aussi.
Grâce à son redoutable sens de l'orientation,
il peut explorer n'importe quel souterrain
sans jamais se perdre !

ANNIE

10 ans.

La plus jeune, un peu gaffeuse,
un peu froussarde !
Mais elle finit toujours
par participer aux enquêtes,
même quand il faut affronter
de dangereux malfaiteurs...

CLAUDE

11 ans.
Leur cousine. Avec son fidèle chien Dagobert, elle est de toutes les aventures. En vrai garçon manqué, elle est imbattable dans tous les sports et elle ne pleure jamais... ou presque !

DAGOBERT

Sans lui, le Club des Cinq ne serait rien ! C'est un compagnon hors pair, qui peut monter la garde et effrayer les bandits. Mais surtout, c'est le plus attachant des chiens.

MICK

11 ans.
C'est un casse-cou (un gourmand aussi !) qui n'hésite jamais avant de se lancer dans les plus périlleuses aventures.

L'édition originale de cet ouvrage a paru en langue anglaise
chez Hodder & Stoughton, Londres, sous le titre :
Five go to Mystery Moor.

Traduction revue par Rosalind Elland-Goldsmith.
Illustrations : Auren.

Hachette Livre, 58, rue Jean-Bleuzen, 92178 Vanves Cedex.

CHAPITRE 1

Le centre équestre des Girard

— On est ici depuis une semaine et je m'ennuie à mourir, déclare Claude.

— Comment ? s'offusque Annie. On a été très occupées et on a fait de si belles promenades à cheval.

— Je te dis que je meurs d'ennui, répète sa cousine avec véhémence. Je le sais mieux que toi, quand même ! Cette Charlotte... elle m'énerve ! Je ne sais pas comment tu arrives à la supporter !

— Charlie ? Tu devrais la trouver sympa : vous avez les mêmes goûts. Comme toi, elle est furieuse d'être une fille et elle fait tout ce qu'elle peut pour ressembler à un garçon !

Toutes deux sont allongées près d'une meule de foin, dans un pré. Un peu plus loin, on aper-

çoit une grande ferme. M. et Mme Girard, les propriétaires, en ont fait un centre équestre. Ils élèvent des chevaux et, pendant les congés, accueillent chez eux de jeunes vacanciers désireux d'apprendre ou de pratiquer l'équitation.

C'est Annie qui a eu l'idée d'y venir pour Pâques, pendant que ses frères, François et Mick, campent avec des camarades de leur collège. Elle aime beaucoup la campagne bretonne et peut se livrer à son sport favori.

Claude, elle, se montre d'humeur massacrante. Elle regrette la compagnie de ses cousins avec qui, en général, elle passe toutes ses vacances. L'adolescente en veut à François et Mick de faire bande à part cette fois-ci.

— Arrête un peu de faire la tête ! reprend Annie. Tu peux bien comprendre que mes frères préfèrent parfois être avec leurs copains !

— Ah oui ? Et pourquoi ? Ils pensent peut-être que la présence de filles serait encombrante ? Je suis plus résistante et plus courageuse que bien des garçons ! Je n'ai peur de rien et je pourrais suivre François et Mick partout !

— Tu vois, tu parles exactement comme Charlie ! réplique sa cousine avec un sourire en coin. Tiens, justement, elle est là-bas ! Elle va rendre visite aux poulains.

Son interlocutrice fronce les sourcils. Charlotte et elle se sont détestées dès le premier regard. Pourtant, elles ont bien des points communs. Claude, en réalité, se nomme Claudine, mais elle n'aime pas ce prénom, qu'elle trouve trop féminin. Tout comme Charlotte, qui exige qu'on l'appelle « Charlie ».

Les deux adolescentes ont le même âge et portent les cheveux très courts. Mais, contrairement à sa rivale, Claude boucle naturellement.

— Avec ta tignasse frisée, on voit bien que tu es une fille ! raille souvent Charlotte d'un ton de pitié.

— Que tu es bête ! riposte l'autre. Beaucoup de garçons ont les cheveux bouclés !

Le plus exaspérant pour Claude est que son ennemie se distingue dans tous les sports ; en particulier, elle monte très bien à cheval. Annie s'amuse secrètement de cette situation qui lui paraît très comique.

M. Girard, le propriétaire du club d'équitation, agacé par la querelle qui oppose les deux pensionnaires s'emporte de temps en temps et les réprimande sévèrement.

— Vous êtes stupides toutes les deux ! déclare-t-il un matin pendant le petit déjeuner en les voyant échanger de sombres regards. Je

n'ai jamais connu de filles aussi immatures que vous !

La cousine de Claude éclate de rire. Des filles ! C'est l'offense la plus cruelle qu'on puisse leur infliger.

— Sans Charlie, tu aurais été très heureuse cette semaine, observe Annie, appuyée contre la meule de foin. Le temps a été radieux tous les jours.

— Si les garçons étaient ici, ce ne serait pas pareil, remarque l'adolescente. Ils auraient vite fait taire cette insupportable gamine. Je regrette d'être venue.

— Oh ! Claude ! s'écrie la fillette, irritée. Tu n'avais qu'à rester à Kernach avec ton père et ta mère ! C'est toi qui as voulu venir ici avec moi ! Et maintenant tu fais des tas d'histoires !

— Excuse-moi. Je suis odieuse, je le sais... mais François et Mick me manquent. D'habitude, on passe toutes les vacances ensemble et je me sens perdue sans eux. Je n'ai qu'une seule consolation...

— Je la devine... interrompt sa cousine en riant. Tu es contente que Dagobert, lui aussi, ne supporte pas Charlie.

— « Charlotte », tu veux dire ! corrige la jeune fille, qui insiste pour employer le prénom haï par sa rivale. Oui, Dago la méprise, lui

aussi. Mon chien est très intelligent ! Viens là, Dag, il n'y a pas de lapins ici ; arrête de flairer partout et viens te coucher près de moi.

L'animal obéit à regret et, avant de s'allonger, donne un coup de langue à sa jeune maîtresse.

— Dag, on disait que tu as bien raison de ne pas aimer cette horrible Charlotte, déclare sa petite maîtresse.

D'un coup de coude, Annie lui impose silence. Une ombre tombe sur elles ; quelqu'un a fait le tour de la meule de foin. C'est Charlotte. Son air pincé montre qu'elle a entendu la remarque de Claude.

— Un coup de fil pour toi, Claudine, annonce-t-elle. C'est ta mère. Mme Girard m'a demandé de te prévenir.

— J'y vais ! dit Claude en se levant d'un bond pour se précipiter vers la maison.

Elle revient quelques minutes plus tard.

— Tout va bien ? s'enquiert sa cousine d'un ton inquiet.

— Rien de grave. Mais papa est tombé malade. Il a une grosse otite. Le médecin lui a défendu de prendre l'avion. Mes parents devront donc rester une semaine de plus en Espagne.

— Oh ! Pauvre oncle Henri... s'apitoie Annie.

— Pauvre moi, tu veux dire ! rétorque l'adolescente toute rembrunie. Je vais devoir rester ici et supporter Charlotte jusqu'à la fin des vacances.

— On pourrait aller chez moi... Mais la maison sera sens dessus dessous : maman la fait repeindre de fond en comble, et il y a des ouvriers dans toutes les pièces...

— Je ne veux pas être un embarras pour tes parents... Je n'ai pas le choix : je vais passer toute la semaine au centre hippique... Zut !

— Je pourrais demander à rester avec toi, si tu veux... Ça ne m'ennuie pas du tout : j'adore m'occuper des chevaux ! J'appellerai papa et maman pour avoir leur permission.

— Bonne idée ! Et tes frères ? Leur séjour en camping se termine aujourd'hui, non ? Ils pourront peut-être nous rejoindre ici, tu ne crois pas ?

— C'est possible, estime sa cousine. Allons parler de tout ça avec Mme Girard !

Elles retournent à la maison. La jeune femme les écoute exposer leur projet, puis réfléchit.

— Nous attendons d'autres enfants, mais nous nous arrangerons. Au pire, vous dormirez sous la tente. Je vais téléphoner à vos parents

pour leur proposer de vous garder huit jours de plus.

Elle disparaît dans la pièce voisine.

— Pas de chance, Claudine, constate Charlie qui écoute la conversation. Je sais que tu t'ennuies beaucoup ici. Dommage que tu n'aimes pas les chevaux. Dommage que tu...

— Tais-toi ! lance Claude, furieuse.

Elle sort en claquant la porte. M. Girard foudroie du regard Charlotte qui sifflote, les mains dans les poches.

— Oh ! vous deux ! s'exclame-t-il. Que vous êtes agaçantes ! Annie est bien plus gentille...

Il s'interrompt car un petit garçon entre en courant.

— Bonjour, monsieur... je vous amène mon cheval... Il boite, et j'espérais que vous sauriez le guérir.

L'inconnu entraîne le propriétaire du club hippique à l'extérieur. Annie les suit pour ne pas rester seule avec Charlotte. Elle trouve sa cousine dehors, auprès d'un cheval blanc et roux. Le jeune homme examine la jambe de l'animal.

— Bon ! déclare-t-il enfin. Tu vas le laisser ici et je le soignerai.

— Impossible ! proteste l'enfant. On repart dès demain pour la Lande du Mystère.

— Cette bête n'est pas en état de marcher aussi loin. Il faudra attendre un jour ou deux. La Lande du Mystère ne s'envolera pas, tu sais ! Je me demande ce qui vous attire là-bas... un endroit désolé où personne ne vit...

— Je vais vous laisser mon Pompon, décide le petit garçon en donnant une tape amicale sur l'encolure du cheval. Mon père sera en colère... tant pis, les autres partiront avant nous et on les rattrapera.

Il porte la main à son front pour saluer M. Girard et s'éloigne rapidement.

— Conduisez ce cheval dans la petite écurie, dit ce dernier aux deux cousines. Je m'occuperai de lui tout à l'heure.

Elles s'empressent d'obéir.

— La Lande du Mystère ! murmure Claude. Quel drôle de nom ! Les garçons aimeraient ça. Ils partiraient tout de suite explorer cet endroit, non ?

— Oui, certainement ! Je voudrais bien qu'ils viennent, approuve Annie.

Elles sortent de l'écurie, quand leur hôtesse les appelle.

— Hé ! Annie ! J'ai eu ta maman au téléphone ! Elle accepte que tu tiennes compagnie à Claude jusqu'à la fin des vacances !

Les filles courent vers l'entrée de la maison.

— Et ce n'est pas tout ! reprend la propriétaire du club d'équitation quand les cousines pénètrent dans la maison. Les frères d'Annie viendront ici eux aussi. Ils arrivent demain !

CHAPITRE 2

François, Mick... et Charlie

— Vraiment ? s'exclame Claude, bondissant de joie. Ils viennent ? C'est super ! On va bien s'amuser !

— Il n'y a qu'un problème, poursuit Mme Girard. Nous n'avons pas assez de lits pour loger François et Mick dans la maison. Toutes les chambres sont occupées. Ils viendront prendre leurs repas avec nous, mais ils devront coucher sous la tente.

— J'aimerais bien dormir à l'extérieur... commence Charlie.

— Hors de question ! s'oppose Claude avec vigueur. Pas avec nous en tout cas !

— Tu n'es pas très gentille ! gronde la jeune femme. Pourtant vous vous ressemblez beaucoup toutes les deux... de vrais garçons manqués !

— Je ne suis pas du tout comme Charlotte ! proteste la jeune fille, indignée. D'ailleurs, quand mes cousins seront là, je suis sûre qu'ils ne lui adresseront pas la parole.

— Il faudra vous entendre si vous voulez rester ! prévient l'hôtesse. Je vais chercher des tapis de sol. Les garçons en auront besoin. Venez m'aider.

Annie, Claude et Charlie sont plus âgées que les cinq autres enfants qui passent leurs vacances au centre équestre... Mais tous, grands et petits, sont ravis de l'arrivée prochaine de François et de Mick. Les deux cousines ont raconté leurs aventures et les garçons font figure de héros.

Après le goûter, ce jour-là, Charlotte disparaît et on ne la revoit plus jusqu'au soir.

— Où étais-tu ? interroge Mme Girard, à l'heure du dîner.

— Au premier étage, dans la salle de bains, répond la jeune fille. J'ai pris une douche et je me suis lavé les cheveux. Puis j'ai rangé ma chambre parce que je voulais retrouver le pantalon gris que maman m'a acheté juste avant les vacances : il avait glissé sous mon lit.

— Ah ! ah ! C'est en l'honneur de François et de Mick ! la taquine l'hôtesse. Tu veux te faire belle pour leur arrivée !

Charlie prend aussitôt un air offensé.

— Pas du tout ! réplique-t-elle. Au contraire, sans même les connaître, je sais que les cousins de Claudine me seront antipathiques !

— Tu verras, mes frères sont très gentils, assure Annie en riant. Ils te plairont beaucoup !

— N'importe quoi ! Tes frères sont aussi les cousins de Claudine ! Il est impossible que je m'entende avec eux !

Trop joyeuse pour entamer une querelle, Claude hausse les épaules et quitte la salle à manger avec Dagobert.

— Ils arrivent demain, mon Dago, chuchote-t-elle. François et Mick ! Le Club des Cinq sera de nouveau réuni ! Tu es content, hein ?

— Ouah ! Ouah ! confirme le chien en remuant la queue.

Le lendemain matin, les deux cousines cherchent l'heure du train sur un dépliant édité par la S.N.C.F. La gare est à trois kilomètres du centre équestre.

— Voilà, déclare Claude, le doigt sur la page. Onze heures dix. C'est le seul train du matin. On ira les attendre.

— Bonne idée. En partant à dix heures et demie, on arrivera bien à temps. On les aidera à porter leurs bagages.

— En attendant, j'aimerais que vous meniez les quatre poulains dans le pré de la Belle-Épine, intervient M. Girard.

— Oh ! oui, accepte Annie avec enthousiasme. Viens, Claude, partons tout de suite. Il fait un temps splendide.

L'étroit sentier qui conduit au pré est bordé de haies d'aubépines, de touffes de violettes et de primevères. Les quatre jeunes chevaux gambadent sous la surveillance de Dagobert. Quelques minutes après le départ des filles, le téléphone sonne. Une voix demande Annie.

— Elle n'est pas ici ; elle vient de sortir, explique Mme Girard. Qui est à l'appareil ?... Ah ! François, son frère ? Veux-tu que je lui transmette un message ?

— Oui, s'il vous plaît, madame. Pourriez-vous lui dire qu'on arrivera en car et qu'on sera à neuf heures vingt à l'arrêt du Chêne-Vert ? Elle ferait bien de venir avec une brouette parce qu'on apporte notre tente et tout notre équipement de camping.

— J'enverrai ta sœur et ta cousine, avec la petite charrette, promet la propriétaire du club. Nous sommes très contents de vous recevoir... Il fait un temps superbe et vous vous amuserez bien.

— J'en suis sûr ! se réjouit son interlocuteur. Merci beaucoup de nous accueillir, madame.

La jeune femme raccroche et appelle Charlotte qui passe devant la fenêtre, plus soigneusement habillée que d'habitude.

— Charlie ! François et Mick arrivent au Chêne-Vert à neuf heures vingt et j'ai promis de leur envoyer la charrette. Va avertir Claude et Annie. Où sont-elles ?

— Votre mari leur a demandé de conduire les poulains à la Belle-Épine. Elles ne seront pas de retour à temps ! Je peux les remplacer, si vous voulez.

— Ce sera très gentil de ta part ! Mais dépêche-toi, il est déjà tard. Attelle la jument grise, elle est dans la grande prairie.

— J'y cours !

Elle est bientôt prête et s'installe sur la selle. Elle part en riant à l'idée que sa rivale sera furieuse d'avoir manqué l'arrivée des deux garçons.

Ces derniers sont déjà au rendez-vous quand le petit équipage paraît au tournant de la route. De loin, ils croient que Claude le conduit.

— Non, ce n'est pas elle ! s'exclame Mick quand le véhicule s'approche. Je me demande si les filles ont eu notre message. Il me semble

QUEST

qu'elles seraient déjà là. Eh bien, attendons encore quelques minutes.

Ils se rasseyent sur le banc lorsque la charrette s'arrête devant eux. Charlie les interpelle :

— Vous êtes les frères d'Annie ? Elle n'était pas à la maison quand vous avez téléphoné et je viens à sa place, annonce-t-elle. Montez !

— Merci ! C'est sympa de les avoir remplacées ! affirme l'aîné des deux frères. Je suis François et voici Mick. Comment tu t'appelles ?

— Charlie, répond l'adolescente, et d'un claquement de langue, elle ordonne à la jument de rester tranquille. Je suis ravie que vous soyez venus. La plupart des pensionnaires du club sont trop jeunes pour nous. Dagobert sera content aussi.

— Bon vieux Dago ! s'écrient les nouveaux arrivants d'une seule voix.

Charlie les aide à charger les bagages ; elle est mince, énergique et forte.

— Tout est installé. Partons !

Charlie grimpe sur le siège, prend les rênes et fait de nouveau claquer sa langue. Les garçons sont assis derrière elle. La jument part au trot.

— Sympa, ce Charlie, chuchote Mick à son frère.

François approuve d'un signe de tête. Il

aurait préféré être accueilli par Annie, Claude et Dagobert, mais il se réjouit de n'avoir pas à faire à pied, chargé comme un mulet, le long trajet jusqu'au centre d'équitation.

Quand ils sont arrivés, Charlie les aide à descendre les sacs et les valises. Mme Girard sort pour leur souhaiter la bienvenue.

— Entrez vite et venez manger un morceau, vous avez sûrement déjeuné très tôt. Laissez les bagages là... inutile de les mettre dans la maison si les garçons couchent à l'extérieur. Claude et Annie ne sont pas encore de retour. Quel dommage !

Charlie va dételer la jument. Les garçons entrent et leur hôtesse leur offre de la limonade et des biscuits. Ils viennent de s'asseoir à table quand Annie surgit en courant.

— On m'a dit que vous étiez là ! Je suis désolée de vous avoir manqués. On pensait que vous arriviez par le train !

Dagobert, tout frétillant, saute au cou des deux frères ; il précède de peu Claude, rayonnante de joie.

— Mes cousins ! Quel bonheur de vous voir ! On s'ennuyait vraiment sans vous ! Quelqu'un est allé à votre rencontre ?

— Oui. Un jeune type très gentil, explique François. Il nous a aidés à mettre nos bagages

dans la charrette ; il est très sympa. Il doit avoir notre âge. Tu ne nous avais pas parlé de lui dans tes lettres.

— De notre âge, il n'y a qu'une fille, s'étonne la maîtresse de Dago. Charlotte... une vraie peste. Elle veut passer pour un garçon. On se moque d'elle et j'espère bien que vous ferez comme nous !

Une brusque pensée frappe Annie.

— Est-ce que la personne qui vous a conduits ici vous a dit son nom ? demande-t-elle.

— Oui... Il s'appelle... Charlie ! C'est ça ! Charlie ! répond Mick. Je sens que je vais bien m'entendre avec lui.

Sa cousine le regarde comme si elle n'en croyait pas ses oreilles :

— Elle est allée vous chercher ?

— Elle ? Non ! corrige François. *Il.* Je parle d'un certain Charlie.

— Mais il n'y a pas de Charlie ! s'écrie la jeune fille, rouge de colère. C'est Charlotte, la chipie dont je vous parlais tout à l'heure. Ne me dites pas que vous l'avez prise pour un garçon ! Elle se fait appeler Charlie au lieu de Charlotte, pour prêter à confusion, et elle coupe ses cheveux très court, mais...

— Exactement comme tu le fais toi-même,

Claude ! réplique Mick. Ça, alors ! Je n'ai pas pensé une minute que c'était une fille. Il... je veux dire elle... m'a fait l'effet d'un... enfin, d'une... de quelqu'un de très bien, quoi.

— Au contraire ! Cette gamine est une sale menteuse !

— Calme-toi... l'interrompt François. Tu es bien contente, toi, qu'on te prenne souvent pour un garçon. Eh bien Charlie aussi ! Tu ne peux pas le lui reprocher !

L'adolescente tape du pied et sort en courant. Ses cousins se grattent la tête et se tournent l'un vers l'autre.

— Beau début ! remarque l'aîné. Quelle imbécile, cette Claude ! Elle devrait pourtant s'entendre avec Charlotte ; elles ont toutes les deux la même obsession. J'espère que leur relation s'apaisera avec le temps...

— Pas sûr... soupire Annie. Je crains que leur querelle ne devienne encore plus dure...

Elle ne se trompe pas. La jeune fille réserve de bien désagréables surprises.

CHAPITRE 3

Mario

Claude vient à peine de quitter la pièce en furie que Charlie entre, les mains dans les poches de son pantalon en lin.

— Salut, Charlotte ! lance Mick.

— Oh ! Elles vous ont dit ? se désole cette dernière. Et moi qui étais si contente que vous me preniez pour un garçon !

— Tu as même pris soin de recouper un peu tes cheveux... remarque Annie. Décidément, Claude et toi, vous faites une bonne paire !

— Ta cousine ressemble moins à un garçon que moi !

— Seulement parce qu'elle a les cheveux bouclés, précise François.

— Ne dis pas ça devant elle ! prévient Annie. Elle se ferait passer la tête à la tondeuse.

— En tout cas, Charlie a été très sympa de venir à notre rencontre, reprend son frère aîné. Bon, qu'est-ce que vous avez à nous offrir comme aventure ?

— Rien, absolument rien, répond Annie. Dans nos promenades à cheval, c'est à peine si on rencontre un chat. Le club est très isolé et la seule chose qui sorte un peu de l'ordinaire, c'est le nom de la grande lande qui s'étend jusqu'à la mer. On l'appelle la Lande du Mystère.

— Pourquoi ? demande Mick.

— Je ne sais pas. Il paraît que personne n'y met plus les pieds, hormis les gitans. Un petit bohémien est venu hier amener un cheval boiteux et il nous a dit que sa famille devait s'y rendre. Je ne comprends pas pourquoi, si c'est un tel désert...

— Ce qui me plaît chez les gitans, remarque Charlie, ce sont les messages qu'ils laissent derrière eux pour ceux qui les suivent... ça s'appelle des signes de piste.

— Des signes de piste ? répète François. J'en ai entendu parler. Ils disposent de petites branches et des feuilles d'une certaine façon : leur agencement a une signification. C'est ça ?

— Oui, acquiesce la jeune fille. Notre jardinier, à la maison, m'a montré des brindilles placées devant notre porte. Il m'a expliqué que c'était un message pour les bohémiens qui passeraient par là.

— On pourrait interroger le petit garçon qui est venu hier avec son cheval, suggère Annie. Il nous apprendrait le secret de ces messages. Ça peut être utile, on ne sait jamais.

— Oui, et on lui demandera aussi ce que les gitans vont faire à la Lande du Mystère, complète Mick qui se lève en époussetant son pull plein de miettes de biscuit. Ils ne vont pas là-bas pour rien, c'est sûr.

— Où est passée Claude ? interroge son frère. J'espère qu'elle ne va pas continuer à bouder trop longtemps.

Dans une écurie, la jeune fille panse une jument qui n'a jamais été brossée si vigoureusement. L'adolescente s'efforce de se calmer ; elle ne veut pas gâcher les vacances des garçons et d'Annie. Mais cette peste de Charlotte la met hors d'elle. Quel culot d'aller à la rencontre de ses cousins et de se faire passer pour un garçon ! Et eux, les idiots, qui sont tombés dans le panneau !

— Oh ! te voilà, ma vieille, s'écrie François en apercevant sa cousine. Laisse-moi t'aider. Tu as bien bronzé, dis donc ! Et tu as plus de taches de rousseur que jamais.

Claude a un sourire involontaire et lui jette l'étrille.

— Voilà ! Il y a beaucoup de chevaux ici, vous pourrez vous promener, Mick et toi.

— Oui, répond le garçon, satisfait de la voir s'adoucir. Si on partait demain matin, en emportant notre déjeuner ? On pourrait explorer la Lande du Mystère.

— D'accord, acquiesce l'adolescente qui étale de la paille sur le sol. Mais pas avec cette fille !

— Quelle fille ? Ah ! Charlotte ? J'ai toujours l'impression que c'est un garçon... Non, elle ne viendra pas. On sera tous les cinq comme d'habitude.

— Génial ! Oh ! voilà les autres. Vous nous donnez un coup de main ?

Quelle joie d'être de nouveau avec les deux garçons, de piquer des fous rires, d'échanger des plaisanteries et de se taquiner !

L'après-midi, le Club des Cinq se promène dans les prés. Les nouveaux arrivants racontent leur vie au camping. Dagobert a l'air ravi. Il court de l'un à l'autre, la langue pendante et la queue frétillante.

— C'est la troisième fois que tu me donnes un coup de queue en pleine figure, Dago !

s'écrie Mick allongé dans l'herbe. Tu pourrais faire attention.

— Ouah ! Ouah ! répond l'animal, en se retournant vers lui.

Cette fois c'est François qu'il gifle de son panache ! Derrière eux, un bruissement dans la haie les alerte. Le chien aboie. Claude a un geste de colère. Si Charlotte ose les déranger. Ce n'est pas Charlotte, mais le petit gitan. Il s'approche d'eux. Des larmes ont tracé des sillons clairs sur son visage.

— Je viens chercher Pompon, déclare-t-il. Vous savez où il est ?

— Il n'est pas encore guéri, prévient Annie. M. Girard nous l'a dit à midi. Tu as pleuré ?

— Papa m'a grondé, avoue le jeune bohémien.

— Pourquoi ? demande François.

— Parce que j'ai laissé le cheval, explique-t-il. Papa a dit qu'une pommade et un bandage auraient suffi. Il faut qu'on parte aujourd'hui avec les autres.

— Tu ne peux pas encore reprendre ton Pompon, insiste Claude. Il n'est pas en état de marcher. D'ailleurs, M. Girard ne le laissera pas quitter l'écurie. Ce cheval est sous sa responsabilité jusqu'à sa guérison.

— Oui, mais il me faut Pompon, répète l'enfant. Si je reviens sans lui, papa me donnera une fessée.

— Le père de ce petit n'ose pas venir lui-même, analyse Mick à voix basse. C'est pourquoi il envoie son fils. Quel lâche !

Le garçonnet renifle et passe sa manche sur son nez.

— Mouche-toi, conseille Annie. Tu n'as pas de mouchoir ?

— Non, avoue le jeune gitan avec une surprise sincère. Rendez-moi mon cheval. Je ne veux plus me faire gronder.

Il se met à sangloter. Les enfants ont pitié de lui... Il est si maigre, si petit, et il ne cesse de renifler !

— Comment tu t'appelles ? demande François.

— Mario Castelli. Rendez-moi mon cheval. Je vous dis que papa le veut.

— On va parler à ton père, déclare Mick en se levant. Où il est ?

— Là-bas, répond Mario en reniflant, et il montre le champ derrière la haie.

Tous suivent l'enfant. Un homme attend à quelques mètres. Ses cheveux sont bruns et bouclés.

— Votre cheval ne peut pas encore marcher,

annonce François. M. Girard a promis qu'il vous le rendrait demain ou après-demain.

— Il me le faut tout de suite, rétorque Castelli d'un ton bourru. Nous partons ce soir pour la Lande.

— Vous pouvez bien attendre un peu, non ? insiste l'aîné des Cinq. La Lande ne risque pas de s'envoler

Le gitan fronce les sourcils et garde le silence.

— Vous ne pouvez pas laisser partir les autres et les rejoindre un peu plus tard ? interroge Mick.

— Écoute, papa, intervient Mario, tu n'as qu'à monter dans la caravane de Romain. Quand Pompon sera guéri, je vous rattraperai.

— Tu ne te perdras pas en chemin ? s'inquiète Claude.

— Oh ! non, assure le garçonnet. Je suivrai les signes de piste.

— Ah ! oui, approuve Mick qui se rappelle, et il se retourne vers le bohémien silencieux.

— Eh bien, qu'en dites-vous ? Il me semble que votre fils a une très bonne idée. De toute façon, M. Girard ne vous donnera pas le cheval aujourd'hui.

Castelli grommelle quelques mots incompréhensibles. Puis il s'éloigne à grands pas.

— Qu'est-ce qu'il a ? demande Annie.

— Il est furieux, explique le petit gitan en reniflant. Mais il va partir avec les autres et moi, j'attendrai que Pompon soit guéri. Je ne risque rien la nuit avec Flop.

— Qui est Flop ? questionne la fillette.

— Mon chien, répond Mario en souriant pour la première fois. Je l'ai laissé au campement ; il a l'habitude de courir après les chevaux dans leur pré et le propriétaire du club n'aime pas ça.

— Ça ne m'étonne pas, lance François. Bon, c'est d'accord. Viens demain, on verra si tu peux reprendre ton cheval.

— Je suis bien content, avoue l'enfant en se frottant le nez. Pauvre Pompon !... Je ne voudrais pas qu'il reste boiteux. Mais papa est terrible.

— Ça se voit, constate Claude, les yeux fixés sur la pauvre figure de l'enfant. À demain. Tu nous expliqueras les signes de piste, tu sais, les messages que vous laissez sur la route.

— C'est ça ! Et si vous voulez, demain, je vous présenterai Flop. Il vous montrera tous ses tours. C'est un petit chien très intelligent. Il a appartenu à un cirque.

— Super ! On emmènera Dagobert, affirme

Annie en caressant l'animal qui revient d'une chasse au lapin. Dago, tu veux aller voir Flop ?

— Ouah ! Ouah ! approuve-t-il en agitant poliment la queue.

— Je suis content que tu acceptes, Dag, déclare Mick. Viens avec Flop prendre des nouvelles de Pompon demain, Mario. Mais je ne te promets pas que tu pourras le chevaucher. On verra ce que dira M. Girard.

CHAPITRE 4

Une visite inattendue

Il est décidé finalement que les garçons coucheront dans une écurie. M. Girard leur demande s'ils veulent des tapis de sol ou si la paille et des sacs de couchage leur suffisent.

— La paille et les duvets feront très bien l'affaire, assure François. On sera comme des rois. Les filles peuvent s'installer avec nous ?

— Les filles, oui, mais pas de chien ! prévient l'homme. Je sais que Dagobert est très docile, mais je ne veux pas qu'il dérange le cheval malade que m'a confié le petit gitan.

— Dans ce cas, je dormirai dans ma chambre ! décide Claude. Je refuse de laisser Dago seul pour la nuit.

— Moi aussi je coucherai dans la maison, ajoute Annie. Mon lit est tellement confortable... certainement plus que la paille d'une écurie !

— Moi, j'ai déjà dormi auprès de chevaux, intervient Charlotte. C'était l'année dernière, en colonie de vacances.

— Je plains ces pauvres bêtes, riposte sa rivale.

— Pourquoi ? demande Charlie.

— Tu les as sûrement empêchées de dormir en ronflant !

Charlie pousse une exclamation de dépit et s'éloigne, humiliée. Ce n'est pas sa faute, après tout, si elle ronfle.

— Ne te vexe pas ! lui lance Claude. Mais quand même, à t'entendre des autres chambres, on te prendrait vraiment pour un garçon.

— Tais-toi un peu ! s'indigne Mick.

— C'est à Charlotte de faire silence, proteste sa cousine.

— Que tu es bornée... marmonne François.

Furieuse de ces reproches, l'adolescente sort de la pièce d'un air de reine offensée, comme l'a fait Charlie quelques instants plus tôt.

— Pff... soupire Annie. C'est tout le temps comme ça. D'abord Charlie, puis Claude ; ensuite Claude, puis Charlie ! Elles se conduisent comme deux idiotes.

La fillette va visiter la chambre improvisée

de ses frères. On leur a assigné une petite écurie où ils seront seuls avec Pompon qui, la jambe bandée, sommeille sur la litière. Annie le caresse ; il n'est pas très beau, mais ses bons yeux le rendent sympathique.

La paille ne manque pas. Les garçons pourront se confectionner des couchettes moelleuses.

— Vous passerez simplement la nuit ici, précise leur petite sœur, et vous viendrez faire votre toilette à la maison... Comme ce foin sent bon ! J'espère que Pompon restera tranquille et ne vous réveillera pas.

— Pas de danger, assure François. Après une journée au grand air, on dormira comme des loirs. Je me plais beaucoup ici ! M. et Mme Girard sont si gentils !

Claude passe la tête à la porte et, aussitôt, Dagobert se faufile à l'intérieur de l'écurie.

— Oh ! s'exclame sa jeune maîtresse. Dago ! Reviens ici !

— Regardez ! s'écrie Mick. Il me montre comment il faut faire un creux dans la paille avant de s'y coucher. Dag, veux-tu sortir de mon lit !

Le chien gratte énergiquement avec ses pattes, comme s'il voulait s'enfouir dans cette masse douillette et odorante. Il lève la tête vers les enfants.

— Il s'amuse, interprète Annie.

On jurerait, en effet, qu'il rit. La fillette le caresse ; il lui lèche la joue et se remet à sa besogne. Quelqu'un arrive en sifflant.

— Voici deux oreillers de la part de Mme Girard.

— Merci beaucoup, Charlie, dit François en les saisissant.

— C'est très gentil de les apporter, *Charlotte*, ajoute Claude.

— C'est un plaisir pour moi, *Claudine*, riposte l'autre.

Les garçons éclatent de rire. Heureusement, leur hôtesse les appelle pour dîner. Les Cinq se dirigent vers la maison.

Pendant le repas, Charlie raconte ses exploits. Elle a trois frères et, d'après elle, entreprend, en leur compagnie, de longues expéditions. À l'en croire, elle les surpasse en agilité et en vigueur. L'été précédent, ils ont parcouru les Pyrénées à vélo.

— Et j'imagine que tu n'étais même pas essoufflée à l'arrivée, ironise Claude.

Son ennemie fait la sourde oreille et continue de décrire ses prouesses : pêches miracu-

leuses, canotage, ascensions ; il y a là de quoi remplir une vie tout entière.

— Tu aurais dû être un garçon, Charlie, conclut la propriétaire du centre hippique.

La jeune fille sourit de plaisir. C'est exactement la remarque qu'elle souhaitait.

— Tu as atteint le sommet de l'Everest avant tout le monde, si je comprends bien... soupire M. Girard fatigué de ce bavardage. Maintenant, finis ce que tu as dans ton assiette.

Claude éclate de rire... Elle ne trouve pas la plaisanterie très drôle, mais elle ne peut perdre une occasion de se moquer de sa rivale. Penaude, cette dernière engloutit sa viande et ses légumes en un temps record. Elle n'aime rien tant que de se vanter d'actions extraordinaires. François et Mick ne peuvent s'empêcher d'admirer cette fille souple et intrépide.

Après le dîner, les enfants font une dernière tournée dans le club avec M. Girard. Charlie se tient loin de Claude dont elle craint les réflexions acerbes – tout en feignant de les mépriser !

L'heure de se coucher vient enfin. François et Mick, en pyjama et bâillant à se décrocher la mâchoire, se rendent dans leur écurie.

— Vous avez vos lampes de poche ? demande leur cousine qui les a escortés avec

Annie. Dormez bien. J'espère que cette idiote de Charlotte ne se lèvera pas à l'aube demain matin et ne viendra pas vous déranger !

— Cette nuit, en tout cas, rien ne pourra me réveiller, déclare l'aîné des Cinq qui s'allonge sur la paille et ramène une couverture sur lui. Oh ! quel lit ! Je n'en ai jamais eu de meilleur !

Les filles rient de son air béat.

— Bonsoir les frangins ! lance Annie.

Suivie de Claude, elle se dirige vers la maison.

Bientôt toutes les lumières s'éteignent. Dans sa petite chambre, Charlie ronfle comme d'habitude. Les deux cousines l'entendent de loin : *Rrr... rrr... rrr.*

— Ah ! cette Charlotte ! grogne Claude. Quel vacarme elle fait ! Je ne veux pas qu'elle vienne avec nous demain...

— Qu'est-ce que tu dis ? murmure Annie dont les yeux se ferment déjà.

Dagobert a pris sa place habituelle sur les pieds de Claude. Après une longue journée passée à poursuivre les lapins, il a bien besoin de repos, mais, dans ses rêves, il continue à chasser et attrape des dizaines de lapereaux.

Bien au chaud dans leur tas de paille, les garçons dorment paisiblement sans entendre le petit cheval qui s'agite près d'eux. Un hibou en quête de souris vole au-dessus du toit et pousse un ululement perçant dans l'espoir d'effrayer une proie pour l'emporter dans ses serres. François et Mick ne s'en doutent pas. Des marmottes n'auraient pas un sommeil plus profond.

Soudain Pompon dresse les oreilles et lève la tête vers la porte fermée. La poignée tourne lentement. Quelqu'un cherche à entrer le plus silencieusement possible. Qui est-ce ? Mario ? Le cheval l'espère. Tous deux forment une bonne paire et s'ennuient quand ils sont séparés. Mais l'animal n'entend pas le reniflement familier qui signale l'arrivée du petit gitan.

Le battant de bois s'ouvre peu à peu sans grincer et laisse voir le ciel criblé d'étoiles. Une silhouette se détache en noir sur le bleu profond de la nuit.

Un homme pénètre dans l'écurie et chuchote :

— Pompon !

Ce n'est pas la voix de Mario, mais celle de son père. Le cheval déteste Castelli qui lui distribue trop souvent des coups de pied et des coups de fouet. Il se demande ce qui l'amène à cette heure tardive.

Le bohémien ignore que François et Mick couchent dans l'écurie. Il s'est efforcé de ne faire aucun bruit, car d'autres chevaux dorment

peut-être près du sien et, réveillés en sursaut, ils pourraient hennir et alerter les Girard. L'homme n'a pas de lampe électrique, mais ses yeux perçants repèrent immédiatement Pompon. Il se dirige vers lui à pas de loup et trébuche sur les pieds de François qui est aussitôt tiré de son sommeil.

— Qui est là ?

L'homme s'accroupit près du cheval et garde le silence. François se demande s'il n'a pas rêvé. Mais sa cheville est endolorie. Ce n'est donc pas une illusion. Le jeune garçon saisit le bras de son frère et le secoue.

— Où est la lampe de poche ? chuchote-t-il. Regarde... La porte est ouverte. Vite, la torche !

Mick finit par la trouver et l'allume. D'abord ils ne voient rien, car le gitan est tapi dans le fond de la stalle. Puis le rayon lumineux tombe sur lui.

— Là ! crie l'aîné des Cinq. C'est le père de Mario ! Allez, levez-vous ! Qu'est-ce que vous faites ici en pleine nuit ?

CHAPITRE 5

La migraine de Claude

L'homme se relève lentement. Ses cheveux huileux brillent à la clarté de la torche électrique.

— Je suis venu chercher Pompon, explique-t-il d'une voix rauque. C'est mon cheval.

— On vous a dit qu'il n'était pas en état de faire un long trajet, réplique François. Vous voulez donc qu'il reste boiteux pour toujours ?

— J'ai des ordres, explique l'homme. Il faut que je parte avec les autres.

— Des ordres de qui ? interroge Mick d'un ton soupçonneux.

— Ce ne sont pas vos oignons. Demain nous nous mettons tous en route, voilà tout.

— Pourquoi ? s'enquiert l'aîné des deux frères, étonné. Qu'est-ce qu'il y a de si urgent ?

— Nous regagnons la Lande.

— Qu'est-ce que vous allez faire là-bas ? C'est une drôle de destination ! D'après ce que j'ai entendu dire, c'est un vrai désert.

Le bohémien hausse les épaules sans répondre et se tourne vers Pompon pour le faire lever. Mais les garçons interviennent aussitôt.

— Laissez cette bête tranquille ! Elle est sous la responsabilité de M. Girard. Si vous insistez, on ira le réveiller et on lui expliquera ce qui se passe.

— Non ! s'oppose Castelli en réprimant sa fureur. Ne faites pas ça ! Je m'en vais. Mais rendez cette bête à Mario demain au plus tard, sans ça, vous le regretterez. C'est compris ?

Il les foudroie du regard.

— Les menaces sont inutiles, déclare Mick. Partez avec les autres gitans et on veillera à ce que votre fils ait le cheval le plus tôt possible.

L'homme se dirige vers la porte et disparaît comme une ombre.

— Drôle de visite, commente François en refermant la porte.

Il entoure le loquet d'une ficelle dont il attache l'autre bout à son poignet.

— Voilà ! maintenant s'il essaie d'entrer, je serai tout de suite averti. Quel culot de s'introduire ici au beau milieu de la nuit !

Il s'enfonce de nouveau dans la paille.

— Pompon a de la chance qu'on couche ici, poursuit-il, sinon ce pauvre animal traînerait toute sa vie une lourde blessure à la patte...

Il se rendort et Mick en fait autant. Le cheval sommeille aussi dans sa stalle. Cette première journée de repos lui a fait le plus grand bien.

Le lendemain matin, les garçons relatent à leur hôte la visite nocturne qu'ils ont reçue.

— Ce Castelli ne recule devant rien ! constate M. Girard. Je suis content que vous l'ayez mis à la porte. Pompon ne sera pas guéri avant après-demain. Quelques jours de répit ne feront pas de mal à cette pauvre bête, puis Mario rejoindra les siens.

Le temps est splendide. Quand ils auront fait leur toilette, les quatre enfants partiront en promenade avec Dagobert. Le propriétaire du club d'équitation a promis à François de lui prêter son propre cheval. Mick prendra un vigoureux bai brun. Les filles auront leurs montures habituelles. Charlie rôde dans la cour et son air mélancolique afflige les garçons.

— La pauvre, se désole l'aîné des Cinq. Ce n'est pas très sympa de la laisser avec les petits.

— Oui, je sais. Je suis de ton avis, approuve

son frère. Annie ! Tu ne pourrais pas persuader Claude qu'il faut emmener Charlie ? Elle meurt d'envie de venir.

— Je sais, affirme la fillette. J'ai de la peine pour elle. Mais tu connais notre cousine, elle n'acceptera jamais. Toutes les deux se détestent, tu le sais bien. Vous verrez, si on fait cette proposition, ce sera tout un drame.

— C'est trop bête ! s'écrie François, agacé. Voilà qu'on a peur de Claude et qu'on n'ose pas lui parler franchement ! Il faut qu'elle se montre raisonnable. Je trouve Charlie très gentille ; elle est un peu vaniteuse et je ne crois pas la moitié de ses histoires, mais c'est une fille bien. Hé ! Charlie !

— Oui, répond l'adolescente qui arrive en courant.

— Tu aimerais venir avec nous ? On part pour la journée.

— Bien sûr ! Mais... est-ce que Claudine est au courant ?

— On va la prévenir, affirme Mick.

Et il se met à la recherche de sa cousine. Elle aide Mme Girard à préparer les provisions pour le pique-nique.

— Claude, l'interpelle hardiment le jeune garçon en pénétrant dans la cuisine. Charlie vient avec nous. Est-ce qu'il y aura assez à manger pour tout le monde ?

— C'est très gentil de l'inviter, estime l'hôtesse. Elle désirait tellement vous suivre. Elle a bien le droit de s'amuser un peu avec des gens de son âge. N'est-ce pas, Claude ?

La jeune fille devient écarlate, grommelle quelques mots inintelligibles et sort. Son cousin la suit des yeux d'un air perplexe.

— Elle ne paraît pas contente, elle va bouder toute la journée... se désole-t-il.

— C'est un petit accès d'humeur, ça passera, assure Mme Girard qui remplit un sac d'appétissants sandwichs. Vous ne mourrez pas de faim aujourd'hui ! Appelez votre cousine pour qu'elle mette ces paquets dans les sacoches.

Annie disparaît et revient au bout de quelques minutes.

— Claude dit qu'elle a mal à la tête et qu'elle ne sortira pas aujourd'hui, annonce-t-elle.

Ses frères restent déconcertés.

— Écoutez-moi, conseille la propriétaire du centre équestre. Faites semblant de croire à sa migraine et partez. Ne renoncez pas à emmener Charlie. Votre cousine sera punie de son caprice et ne recommencera pas.

— C'est d'accord, acquiescent gravement les enfants.

Tous sont d'avis qu'il faut lui donner une bonne leçon. Elle se conduit vraiment comme une petite fille. Simplement à cause de Charlie. C'est absurde !

François sort dans la cour et lève la tête vers la fenêtre de sa cousine.

— Claude ! appelle-t-il. Je suis désolé que tu aies mal au crâne. Vraiment, tu ne peux pas venir ?

— Non ! réplique l'adolescente, et elle ferme brusquement les vitres.

— C'est dommage, poursuit son cousin. J'espère que tu iras mieux ce soir ! Salut !

Il ne reçoit pas de réponse. Mais, tandis qu'il s'éloigne, un visage stupéfait le guette derrière les rideaux, reflétant étonnement et indignation : c'est la faute de cette horrible Charlie si on l'abandonne ainsi !

Annie, de son côté, est chagrinée et inquiète.

— Je devrais peut-être rester avec elle ? avance-t-elle.

— Non, tranche Mick. Elle essaie de nous manipuler. Laissons-la tranquille.

— Bon...

Elle se doute bien que la migraine de sa cousine n'est qu'un prétexte et cache un accès de mauvaise humeur. Charlie le devine aussi et elle est devenue très rouge.

— C'est à cause de moi que Claude ne veut pas venir, analyse-t-elle. Je ne tiens pas à gâcher votre journée. Allez lui dire que je reste au club.

François la regarde avec reconnaissance.

— C'est très généreux de ta part. Mais on va la prendre au mot. D'ailleurs, on ne t'a pas invitée par politesse ; on est sincèrement contents de t'avoir avec nous.

— Merci, ça me fait très plaisir, avoue la jeune fille. Alors, partons vite. Tout est prêt.

Quelques minutes plus tard, ils s'éloignent au petit trot. Le bruit des sabots des chevaux attire la maîtresse de Dagobert à la fenêtre. Ils partent ! Ils la laissent seule ! Elle n'aurait jamais cru que ce soit possible et elle fond en larmes.

— Je n'aurais pas dû faire tant d'histoires... Je n'ai que ce que je mérite... Charlotte passera toute la journée avec eux et elle s'efforcera de gagner leur amitié. Que je suis bête ! Dagobert, je suis une imbécile, hein ?

Ce n'est pas l'avis du chien. Il se demande pourquoi les autres sont partis sans eux, et il gratte la porte avec ses pattes. Il vient poser sa tête sur les genoux de son amie. Il voit qu'elle est malheureuse et la plaint de tout son cœur.

— Toi, au moins, tu ne me juges pas, soupire l'adolescente en le caressant. Tu m'aimes et, pour toi, tout ce que je fais est bien. Mais aujourd'hui, je dois le reconnaître, je me suis montrée stupide...

On frappe à la porte.

— Tu es là ? questionne la voix de Mme Girard. Je te conseille de te coucher si tu as très mal à la tête. Et si tu vas mieux, viens nous aider à soigner Pompon, le cheval du gitan.

— Je descends, répond Claude, guérie de sa bouderie. Je vous rejoins dans cinq minutes.

Elle quitte sa chambre aussitôt. Elle s'approche du portail pour scruter du regard la route déserte. Où sont ses cousins ? Passeront-ils une bonne journée en compagnie de sa rivale ?

Les quatre promeneurs ont déjà parcouru deux kilomètres. De longues heures de liberté s'étendent devant eux et la Lande du Mystère a tout l'attrait de l'inconnu.

CHAPITRE 6

La Lande du Mystère

— La Lande du Mystère, quel nom étrange, commente François. Regardez, elle est couverte d'ajoncs en fleur.

— Elle n'a rien de mystérieux, remarque Charlie, surprise.

— Son silence et son calme m'effraient un peu, tempère Annie.

— Peuh ! fait Mick avec un sourire. Je ne dis pas que je n'aurais pas peur seul ici la nuit, mais, le jour, pas du tout. Je me demande pourquoi on a donné un tel nom à cet endroit. Il date peut-être du temps où les gens croyaient aux sorcières, aux fées et aux loups-garous. Il faudra qu'on cherche un livre sur cette région de la Bretagne.

Ils avancent sans bruit, au hasard, dans cette

vaste étendue de bruyères et d'ajoncs aux fleurs dorées qui ondoient sous la brise. La benjamine du groupe se met à renifler bruyamment.

— Tu fais concurrence à Mario, observe son frère aîné. Tu as un rhume ?

— Non, répond la fillette en riant. Mais j'aime tant l'odeur des ajoncs. Ça sent quoi ? La vanille ? Le chocolat chaud ? Je ne sais pas, mais c'est délicieux.

— Regardez là-bas ! lance Charlie en arrêtant son cheval.

Tous tendent le cou.

— C'est un camp de caravanes ! constate enfin François. Bien sûr... Les bohémiens avaient l'intention de partir aujourd'hui. Ils arriveront à la mer s'ils continuent tout droit. Si on les rejoignait ?

— Bonne idée, approuvent ses compagnons.

Ils s'approchent des véhicules : il y en a cinq. L'un d'eux porte un petit panneau sur la porte arrière, sur lequel est inscrit *Chevaux*.

Des cris saluent l'arrivée des quatre cavaliers et un gitan les désigne aux autres avec de grands gestes.

— Eh ! s'exclame Mick. C'est le type qui nous a réveillés cette nuit ! Le père de Mario !

— Bonjour, crie François en s'approchant du convoi. Quel beau temps, vous ne trouvez pas ?

Il ne reçoit pas de réponse. Les bohémiens les scrutent à travers les fenêtres de leurs caravanes.

— Vous allez où ? demande Charlie. À la mer ?

— Ça ne vous regarde pas, réplique un vieillard aux cheveux gris et à la peau tannée.

— Ils ne sont vraiment pas très aimables, chuchote Annie à ses frères. Ils croient peut-être qu'on les espionne.

— On ne va pas se laisser intimider ! déclare Charlotte.

Elle s'approche de Castelli.

— Comment vous faites pour vous ravitailler en nourriture ? questionne-t-elle.

— Nous avons ce qu'il faut pour manger, répond le père de Mario en montrant un des camions. Quant à l'eau, nous savons où sont les sources.

— Vous camperez longtemps dans la lande ? poursuit la jeune fille qui aurait bien aimé mener elle aussi une vie errante... Ce doit être merveilleux de coucher à la belle étoile au milieu de ces ajoncs qui sentent si bon !

— Assez de questions ! l'interrompt le vieillard aux cheveux gris. Filez et laissez-nous tranquilles !

— Viens, Charlie, dit François en faisant

demi-tour. Notre présence les contrarie. Ils ont peut-être des secrets et ont peur qu'on les découvre.

Des enfants se penchent aux fenêtres des véhicules. Quelques-uns courent parmi les fleurs, mais ils se dispersent comme des lapins effrayés quand Charlie s'approche.

« Ils ne veulent pas de notre amitié, songe-t-elle. Ce doit être drôle d'habiter des maisons sur roues ! Ils ne restent jamais longtemps au même endroit ; ils sont toujours en voyage. Allez, maintenant il vaut mieux s'en aller. »

Elle serre les mollets sur les flancs de sa monture. Le cheval lui obéit et part au petit trot, en prenant soin d'éviter les trous de lapin.

Quelle belle journée ! Le soleil brille et une brise légère souffle. La jeune fille est au comble du bonheur. Les trois autres ne partagent pas tout à fait sa joie : Claude leur manque. Et Dagobert aurait dû trotter et gambader près d'eux. Au bout d'un moment, les caravanes sont invisibles. François craint un peu de s'égarer et consulte fréquemment la boussole dont il s'est muni.

« Ce ne serait pas très agréable de passer la nuit ici, pense-t-il. Personne ne nous trouverait. »

À midi et demi, ils s'arrêtent pour déjeuner.

Mme Girard les a gâtés. Des œufs durs, de la viande froide, du jambon, des sandwichs aux sardines, au fromage, à la confiture. Et pour finir, de grosses parts de cake aux fruits rouges et des oranges juteuses.

— Ce gâteau est succulent, affirme Annie. J'adore les cerises confites.

— Tu veux boire ? propose Charlie en brandissant une bouteille de limonade. Ce n'est pas très frais, mais c'est bon quand même !

— Il y a une source tout près d'ici, observe Mick. Je l'entends.

Ils se taisent et un clapotis argentin caresse leurs oreilles. La benjamine du groupe se lève et va à la découverte du ruisseau. Elle appelle les autres. Une eau claire comme du cristal sort de terre et se perd dans les ajoncs.

La fillette puise un peu d'eau fraîche dans le creux de sa main et la porte à ses lèvres.

— Elle est exquise. Goûtez-la !

Ils se remettent en route, mais la lande ne leur offre aucune surprise ; toujours des bruyères, de l'herbe, des ajoncs, çà et là une source, quelques arbres, surtout des bouleaux. Des alouettes montent dans les airs en chantant, si haut qu'on les voit à peine.

— J'aimerais pouvoir attraper les notes de leur chant comme s'il s'agissait de gouttes de pluie, murmure Annie en tendant les mains comme pour les recueillir.

Charlie se met à rire ; elle se plaît de plus en plus en compagnie de ces enfants charmants et se dit que Claude est stupide d'être restée au club hippique.

— On devrait songer à rentrer, annonce enfin François en consultant sa montre. Il est déjà tard. Dirigeons-nous du côté du soleil couchant. Venez !

Il fait demi-tour et les autres le suivent. Mick s'arrête au bout d'un moment.

— Vous êtes sûrs qu'on ne s'égare pas ? Je ne crois pas qu'on est venus par là. La lande me semble différente ici ; il y a beaucoup moins d'ajoncs.

Son frère arrête son cheval et regarde autour de lui.

— C'est vrai, admet-il. Je pense pourtant qu'on est dans la bonne direction. Continuons un peu plus vers l'ouest. Il n'y a absolument rien pour se guider dans cette lande ! Pas un sentier, pas un panneau !

Ils repartent au pas. Soudain Charlie pousse une exclamation.

— Venez voir !

Les deux garçons et Annie la rejoignent. Elle

a sauté à terre et elle écarte des touffes de bruyère.

— Regardez ! On dirait des rails. Très vieux et tout rouillés. Mais qu'est-ce qu'ils font là ?

Tous sont maintenant à genoux et grattent le sable. L'aîné du groupe se redresse et réfléchit.

— Oui, c'est une voie ferrée. Très ancienne. C'est bizarre... Vous pensez qu'un train traversait autrefois la lande ?

— C'est possible, acquiesce Charlotte. Mais ce devait être il y a bien longtemps. Les rails sont recouverts par les arbres et la bruyère. Je n'en crois pas mes yeux.

— Ils mènent sûrement quelque part, affirme Mick.

— Tu as raison, approuve François. Si on les suit, on arrivera probablement à une ferme ou à un village.

— C'est ce qu'on a de mieux à faire puisqu'on est plus ou moins perdus, fait observer Annie.

Charlie se remet en selle et toute la troupe reprend la route. Au bout d'une demi-heure, la benjamine du groupe fait un geste.

— Des maisons ! s'écrie-t-elle. C'est le hameau du Moulin Blanc. Le centre d'équitation n'est pas très loin.

— Ce serait amusant de suivre le chemin de

fer dans la lande pour voir où il conduit, lance son frère cadet. Peut-être demain ?

— Bonne idée, approuvent les autres. Rentrons vite.

Ils se hâtent de regagner la maison des Girard, pressés de retrouver Claude. Comment les accueillera-t-elle ? Drapée dans sa dignité ? Ou bien leur fera-t-elle d'amers reproches ? Qui sait si elle consentira même à sortir de sa chambre ?

CHAPITRE 7

Claude, Mario et Flop

Claude a passé une excellente journée. D'abord elle a aidé M. Girard à panser la jambe de Pompon. Le petit alezan accepte patiemment les soins et la jeune fille ressent beaucoup d'affection pour lui.

— Merci, ma grande, déclare le propriétaire du club. Tu veux bien disposer des haies pour les enfants qui veulent s'exercer au saut d'obstacles ?

Claude trouve cette occupation très amusante. Les petits sont si fiers d'eux-mêmes quand ils franchissent des obstacles de trente centimètres sur leurs poneys ! Puis Mario arrive, accompagné d'un chien appelé Flop. Flop tient de l'épagneul, du caniche et de plusieurs autres races encore. Sa fourrure noire et frisée lui donne l'air d'une sorte de tapis monté sur quatre pattes.

Dagobert reste stupéfait devant ce paillasson ambulant. Après l'avoir observé un moment, il conclut que c'est bel et bien un chien et lance quelques jappements pour lier connaissance.

L'autre ne paraît pas l'entendre. Il consacre toute son attention à un os qu'il vient de déterrer. Mais Dago considère que tous les trésors de ce genre lui appartiennent naturellement. Il se rue sur le roquet avec un grognement de mauvais augure. Flop lâche l'os et fait le beau. Le fidèle compagnon des Cinq le regarde, étonné. Sa surprise n'a plus de bornes quand Flop se met à parcourir la cour, toujours dressé sur ses pattes de derrière. Il n'a jamais vu un de ses congénères se conduire de cette façon.

Fier d'exciter l'admiration de Dagobert, le paillasson sur pattes rappelle tous ses souvenirs de cirque et exécute une superbe série de culbutes. Puis, essoufflé, il reste couché sur le dos, les pattes en l'air. Le protégé de Claude s'approche pour examiner de plus près cet étrange phénomène. L'autre se relève d'un bond, et, au moyen de gambades et d'aboiements, convie son nouvel ami à prendre part à ses jeux. Celui-ci, d'abord hésitant, se laisse tenter et entre dans une folle partie de sautille-

ments et d'acrobaties en tous genres ! Quand il est hors d'haleine, Dago se couche dans un coin de la cour et Flop se blottit contre lui comme s'il l'avait connu toute sa vie.

Claude, qui sort de l'écurie avec Mario, croit avoir une hallucination.

— Qu'est-ce que Dag a donc entre les pattes ? Ce n'est pas un chien !

— C'est Flop ! déclare le jeune bohémien. C'est un vrai singe. Vous allez voir, m'sieu Claude. Vas-y, Flop ! Montre un peu comme tu sais bien marcher.

L'animal se relève d'un bond et court à son maître sur ses pattes de derrière.

— Qu'il est drôle ! On dirait qu'on l'a découpé dans un tapis !

— Il est très intelligent, confie le gitan en caressant son compagnon. Quand est-ce que je pourrai reprendre Pompon, m'sieu Claude ? Papa est parti avec les autres et il m'a laissé une tente et de la nourriture. Je peux encore attendre un jour ou deux.

— Ton père accepte que tu campes seul à ton âge ?

— Oui, assure le garçon. Ça arrive souvent. J'aime bien dormir sous la tente avec Flop. Alors, m'sieu Claude, quand est-ce que M. Girard me rendra mon cheval ?

— Ce ne sera certainement pas aujourd'hui, répond l'adolescente, ravie d'être appelée monsieur et non pas mademoiselle. Peut-être demain. Tu n'as pas de mouchoir, Mario ? Je n'ai jamais entendu quelqu'un renifler aussi fort que toi.

L'enfant passe sa manche sous son nez.

— Je n'ai jamais eu de mouchoir... Mais j'ai ma manche.

— C'est dégoûtant. Je vais te donner mon paquet. Je ne supporte pas de t'entendre renifler comme ça.

— Je ne savais pas que je reniflais, avoue Mario, un peu vexé. Qu'est-ce que ça peut faire ?

La jeune fille monte déjà l'escalier de sa chambre. Dans le premier tiroir de sa commode, elle prend un petit étui en plastique empli de mouchoirs en papier. Elle l'apporte au gitan.

— Voilà ! annonce-t-elle. Tu as bien une poche où le mettre ? Bien ! Maintenant tu te moucheras au lieu de renifler.

— Où sont les autres ? demande l'autre en maniant l'enveloppe plastifiée comme si c'était un objet de verre qu'il craignait de casser.

— Ils font une promenade à cheval, explique l'adolescente qui reprend un air maussade.

— J'aurais voulu leur montrer ma tente...

— Ils ne pourront pas aujourd'hui. Ils rentreront certainement très tard. Moi, je peux t'accompagner. Ton père est parti, c'est ça ?

Elle ne tient pas du tout à rencontrer Castelli. Le garçonnet secoue la tête.

— Oui. Papa a pris la route avec ma tante et ma grand-mère.

— Qu'est-ce que vous allez faire dans la lande ? demande Claude tandis qu'elle suit Mario qui la conduit dans un champ où est plantée une petite tente grise.

— Moi, je m'amuse avec Flop.

Il renifle bruyamment et son accompagnatrice lui assène un petit coup dans le dos.

— Mario ! Je t'ai donné des mouchoirs. Ne renifle pas. Ça me tape sur les nerfs !

Le bohémien se sert de nouveau de sa manche ; heureusement, Claude ne s'en rend pas compte. Elle observe la tente.

— Dans la lande, tu t'amuses avec Flop, répète-t-elle au bout d'un moment. Mais ton père, ton oncle, ton grand-père et tous les autres, ils font quoi ? Il n'y a rien là-bas !

Le petit reste muet. Il retient un reniflement et, les lèvres serrées, dévisage Claude qui ne cache pas son impatience.

— M. Girard dit que vos caravanes vont

là-bas tous les trois mois. Pourquoi ? Il y a une raison ?

— On fabrique des paniers.

— C'est vrai... Je sais que tous les gitans font de la vannerie pour la vendre. Mais vous n'avez pas besoin d'aller au milieu d'une lande déserte pour la confectionner ! Pourquoi choisir un lieu aussi solitaire ?

L'enfant ne répond pas et se penche sur des branchages disposés près de la tente. Claude l'imite et oublie sa question.

— Oh ! C'est un signe de piste ? Un message de bohémiens ! Qu'est-ce que ça signifie ?

Deux branches, une longue et une petite, forment une croix. Un peu plus loin, d'autres baguettes sont placées côte à côte.

— Oui, un signe de piste ! C'est notre façon de renseigner ceux qui nous suivent. Tu vois les bâtons en forme de croix ? Ils nous montrent le chemin et on doit prendre la direction indiquée par le plus long.

— C'est astucieux ! Mais ces quatre autres, ils signifient quoi ?

— Ils désignent le nombre de voyageurs, explique le garçon en reniflant.

— Je comprends, acquiesce l'adolescente, bien décidée à se servir de ce moyen quand elle

ira en promenade avec ses camarades de classe. Il existe beaucoup d'autres signes de piste ?

— Plein ! Quand je partirai, je laisserai celui-ci.

Il cueille deux feuilles sur un arbre, une grande et une petite, les place côte à côte et pose dessus des cailloux.

— Qu'est-ce que ça veut dire ?

— Que mon petit chien et moi on est partis aussi ! Si mon père revient nous chercher, il verra ces feuilles... Il saura alors que je suis en route avec Flop. C'est simple. Une grande feuille pour moi, une petite pour Flop.

— C'est super ! Maintenant, montre-moi où tu dors.

C'est une petite tente recouverte d'une bâche grise. Pour y pénétrer, il faut se mettre à quatre pattes. Un sac à dos repose à l'intérieur, posé sur un sac de couchage.

— D'habitude, je couche dans la caravane, avec papa et mes grands-parents. Il y a plusieurs couchettes superposées ; elles sont couvertes de belles étoffes de couleur vive.

— Ce doit être passionnant de passer sa vie sur la route, d'être tout le temps en voyage...

— Oui... Le seul ennui, c'est que je ne peux jamais me faire de vrais amis. J'ai à peine eu le temps de lier connaissance avec des enfants de mon âge, que déjà il faut repartir...

— Ce doit être difficile de vivre sans amis, reconnaît Claude. Heureusement, tu as Flop. Quant à Pompon, il sera peut-être guéri demain. Je viendrai te prévenir. Ah ! Mario, n'oublie pas que tu as des mouchoirs.

— Je ne l'oublierai pas, promet fièrement l'enfant. Et je ferai bien attention de ne pas les salir, m'sieu Claude !

CHAPITRE 8

Mario fait une promesse

L'après-midi touche à sa fin et Claude se sent très triste et très seule. Qu'ont fait les autres sans elle ? Leur a-t-elle un peu manqué ? Peut-être n'ont-ils pas eu une seule pensée pour elle.

— En tout cas, tu n'es pas parti avec eux, Dagobert. Toi, tu ne m'as pas abandonnée.

Heureux de la voir sourire, le chien lui donne de grands coups de langue.

Soudain un grand vacarme de sabots de chevaux éclate dans la cour. Claude court à la porte. Oui, ils sont de retour. Que faire ? Elle se sent à la fois soulagée et irritée, contente et furieuse. Faut-il froncer les sourcils ou sourire ? Les nouveaux venus ne lui laissent pas le temps de réfléchir.

— Salut ! crie Mick. Tu nous as beaucoup manqué.

— Et ta tête ? poursuit Annie. Tu n'as plus mal, j'espère.

— Bonsoir, lance Charlie. Dommage que tu ne sois pas venue ! On a passé une super journée.

— Viens nous aider à desseller les chevaux ! suggère François à son tour. Et raconte-nous ce que tu as fait aujourd'hui.

Dagobert s'est précipité sur eux en aboyant. Claude accourt aussi, le sourire aux lèvres.

— Hello ! Je vais vous aider. Vraiment ? je vous ai manqué ?

Les garçons se réjouissent de voir que leur cousine est revenue à la raison. On ne parle plus de sa migraine. Elle se dépêche de desseller les chevaux et écoute le récit de l'excursion. À son tour, elle décrit la tente de Mario et les signes de piste, et raconte qu'elle a donné un paquet de mouchoirs tout neuf au petit gitan.

— Mais je suis sûre qu'il ne s'en servira pas, avoue-t-elle. Il ne s'est pas mouché une seule fois quand j'étais avec lui. Ah ! Mme Girard nous appelle pour manger. On a fini juste à temps. Vous avez faim ?

— Oh ! oui ! s'exclame Mick. Je croyais qu'après le pique-nique je ne serais pas capable

de manger une bouchée à dîner, mais je me suis trompé. Comment va Pompon ?

— Mieux. Tu veux que je t'aide, Charlotte ?

Cette dernière reste un moment sidérée par la surprise.

— Non, merci... Claudine, répond-elle enfin. Je peux me débrouiller toute seule.

Le repas est très gai. Les plus petits sont à une table à part et les grands peuvent raconter leurs aventures sans être interrompus. Leur hôte s'intéresse beaucoup à la découverte des vieux rails.

— J'ignorais leur existence, déclare-t-il. Mais on n'est installés dans la région que depuis quinze ans et on ne connaît pas toute son histoire. Vous devriez aller voir le vieux Baudry, le maréchal-ferrant ; il a habité le coin toute sa vie et il a plus de quatre-vingts ans. Demain nous devons justement lui amener des chevaux à ferrer. Interrogez-le. Il a peut-être aidé à poser ces rails.

— Au fait, Claude, on a vu le convoi des gitans dans la lande ! dit François. Je suppose que les bohémiens se dirigent vers la mer. Comment est la côte, monsieur Girard ?

— Très sauvage. De grandes falaises, des rochers abrupts. Seuls les oiseaux peuvent vivre là-bas. Il est impossible de se baigner ou de se promener en bateau ; il n'y a même pas de plage.

— Mais alors où vont donc ces caravanes ? questionne Mick. C'est un mystère. Elles prennent ce chemin tous les trois mois, c'est ça ?

— Oui, à peu près. Je ne sais pas ce qui attire les gens du voyage dans la lande. Cela me dépasse. Habituellement, ils se tiennent près des fermes ou des petits villages où ils peuvent vendre leur vannerie.

— J'aimerais les suivre pour savoir ce qu'ils font, révèle son frère qui mange sa deuxième portion d'omelette.

— Allons-y ! renchérit Claude.

— Mais comment ? On ne sait pas quelle direction ils ont prise, remarque Charlie.

— Mario doit les rejoindre dès que Pompon pourra marcher, explique sa rivale. Des signes de piste lui indiqueront le chemin. Il les trouvera près des emplacements où les bohémiens auront campé.

— Je doute qu'il les laisse derrière lui, intervient Mick.

— On lui demandera d'en disposer d'autres pour nous, propose sa cousine. Je crois qu'il acceptera. C'est un bon petit gars. Grâce à ce système, on ne risquera pas de se perdre.

— Vous pensez qu'on pourra déchiffrer les

messages aussi facilement que les bohémiens ? interroge François. Ce serait très amusant.

Annie bâille à se décrocher la mâchoire.

— llez vous coucher, conseille Mme Girard. Vous en avez besoin après cette journée de grand air. Vous avez tous bronzé. Le soleil était très chaud, on aurait pu se croire en juin.

Les cinq enfants, accompagnés de Dagobert, vont jeter un dernier regard aux chevaux. Les garçons se dirigent vers l'écurie.

— Vite, vite, ma paille, s'écrie l'aîné en riant. Oh ! si vous saviez comme on est bien là-dedans !

— J'espère seulement que le père de Mario ne viendra pas nous réveiller au milieu de la nuit, déclare Mick.

— J'attacherai le loquet de la porte, décide François.

Quelques minutes plus tard, les trois filles sont dans leur lit et les deux garçons se pelotonnent dans la paille de l'écurie. Pompon est toujours là, mais il ne bouge plus. Il dort paisiblement ; sa jambe ne lui fait plus mal et, demain, il sera en état d'être sellé et de prendre la route.

Personne ne se glisse dans l'écurie cette nuit-là. Rien ne réveille les dormeurs jus-

qu'au matin. Mais, aux premières lueurs du jour, un coq entre par une fenêtre, se perche sur une mangeoire et se met à chanter de toutes ses forces.

— Qu'est-ce que c'est que ce cri horrible ? s'écrie Mick, réveillé en sursaut.

Un cocorico bruyant est la réponse et les deux garçons explosent de rire

— Ooh ! gémit François en se recouchant. Je dormirais bien encore deux heures.

Dans la matinée, Mario paraît tout à coup dans la cour. Il entre toujours en se faufilant, presque sans être vu. Il aperçoit Claude et court à elle.

— M'sieu Claude ! appelle-t-il au grand amusement de François. Est-ce que Pompon va mieux ?

— Oui, assure la jeune fille. Tu pourras le prendre aujourd'hui. Mais ne te sauve pas tout de suite, je veux te demander quelque chose avant que tu partes.

L'enfant est enchanté ; il se réjouit de rendre un service en retour du magnifique cadeau qu'il a reçu. Il sort soigneusement le paquet de mouchoirs de sa poche et attend des compliments.

— Tu vois, souligne-t-il, l'étui est intact. Je ne l'ai même pas ouvert.

Et il accompagne ces paroles d'un reniflement.

— Que tu es bête... soupire son amie, exaspérée. Je te l'ai donné pour que tu te mouches... pas pour que tu le laisses dans ta poche ! Je vais le reprendre si tu ne t'en sers pas.

Le petit est effrayé. Il ouvre l'enveloppe plastifiée, en sort un mouchoir en papier et tapote son nez. Puis il le replie, le remet dans le paquet qu'il glisse dans sa poche.

— Il y a du progrès ! reconnaît Claude, en essayant de ne pas rire. Maintenant écoute, Mario : tu te rappelles ces signes de piste que tu m'as montrés hier ?

— Oui.

— Ton père et les autres gitans en laisseront sur leur route pour que tu puisses les rejoindre, c'est ça ?

— Oui, mais pas beaucoup parce que j'ai déjà fait deux fois le trajet. Ils en mettront simplement aux endroits où je pourrais me tromper.

— Bon, continue la jeune fille. On voudrait jouer à une espèce de jeu et voir si on serait capables, nous aussi, de déchiffrer ces messages. Tu accepterais d'en disposer pour nous sur ton chemin quand tu iras rejoindre ta famille ?

— Oh ! bien sûr, s'écrie le bohémien, très fier de rendre ce service. Vous trouverez ceux que je t'ai montrés, la croix, le long bâton, la grande et la petite feuille.

— Parfait ! Ça voudra dire que tu es allé dans une certaine direction et que tu es avec ton chien. C'est bien ça ?

— Exactement ! Tu n'as pas oublié !

— Ce sera très drôle. On imaginera qu'on est des gitans.

— Juste une chose... l'interrompt Mario, brusquement effrayé. Ne vous montrez pas quand vous verrez nos caravanes. On me gronderait d'avoir laissé des signes de piste pour vous.

— Ne t'inquiète pas, on fera attention. Maintenant allons voir Pompon.

Le petit cheval sort volontiers de l'écurie ; il ne boite plus et son repos lui a fait grand bien. Il part en trottant allégrement, son jeune maître sur le dos. Un reniflement bruyant arrive aux oreilles de Claude.

— Mario ! hurle-t-elle.

Puis elle va retrouver les autres.

— Si on conduisait les chevaux chez le maréchal-ferrant ? suggère-t-elle.

— Bonne idée, acquiesce François. On l'interrogera sur la Lande du Mystère et cette étrange petite voie ferrée. Venez !

Six animaux ont besoin d'être ferrés. Cela fait une monture pour chacun et François tient la bride du sixième. Bien entendu, Dagobert est de la partie et court gaiement sur la route. Après un assez long trajet, ils arrivent au village.

— Voilà l'atelier ! s'exclame Annie. Et voilà le forgeron.

Malgré ses quatre-vingts ans, Baudry est encore très fringant. Il ne ferre plus que les chevaux du centre équestre. Le reste du temps, il est assis au soleil, s'intéressant à tout ce qui se passe. Il a une épaisse toison de cheveux blancs et des yeux noirs comme du charbon.

— Bonjour, messieurs et mademoiselle, lance-t-il en apercevant les enfants.

François se met à rire. Claude et Charlie se rengorgent.

— On vous amène ces bêtes de la part des Girard. Et on voudrait en profiter pour vous demander quelques renseignements sur la région, explique Annie en mettant pied à terre.

— Volontiers ! répond le vieillard. Je connais le coin comme ma poche. Pour cette fois, confiez vos chevaux à mon apprenti, Fabrice. Et interrogez-moi.

CHAPITRE 9

Le récit du maréchal-ferrant

— Voilà, commence François, hier, on a fait une promenade à cheval dans la Lande du Mystère ; on voudrait d'abord connaître la raison de ce nom étrange. Est-ce qu'il s'est passé un événement bizarre dans cette région ?

— Plusieurs, même ! précise le vieux Baudry. Des gens qui ont disparu et qu'on n'a jamais revus... Des bruits dont on n'a jamais connu la cause...

— Quel genre de bruits ? questionne Annie.

Le maréchal-ferrant prend un ton solennel :

— Quand j'étais jeune, j'ai passé des nuits dans cette lande, et je vous jure que je n'en menais pas large. On entendait des sons extraordinaires : des grincements, des ululements, des soupirs, des battements d'ailes.

— C'est peut-être un lieu de rendez-vous pour les hiboux, les renards et d'autres bêtes nocturnes, remarque Mick. Une fois, une chouette a poussé un cri strident au-dessus de ma tête et j'ai eu une peur bleue. Si je ne l'avais pas vue, je me serais sauvé comme si j'avais été pourchassé par un fantôme !

Le vieillard sourit et son visage n'est plus qu'un réseau de rides.

— Pourquoi l'appeler la Lande du Mystère ? redemande l'aîné des Cinq. C'est un très vieux nom ?

— Du temps de mon grand-père, on l'appelait la Lande des Brumes, explique le forgeron qui rassemble ses souvenirs. Des vapeurs épaisses montaient de la mer et on n'y voyait pas à trois mètres. Un soir, j'ai été surpris par un de ces brouillards et j'ai bien cru ne pas en sortir. Il tourbillonnait autour de moi et j'avais l'impression que des doigts glacés cherchaient à me saisir.

— C'est horrible ! murmure Annie en frissonnant. Qu'est-ce que vous avez fait ?

— J'ai pris mes jambes à mon cou ! Je trébuchais sur les racines de la bruyère et des ajoncs. Le brouillard me poursuivait et ses tentacules humides voulaient m'agripper... C'est ce que les vieux disaient de ce brouillard... Il essayait de vous empoigner.

— Peuh ! fait Claude, convaincue que le maréchal-ferrant exagère. La brume, ce n'est pas mortel. Il y en a encore de temps en temps ?

— Oh ! oui, affirme Baudry en bourrant sa pipe. Surtout en automne ; mais cela peut se produire à n'importe quel moment de l'année, même à la fin d'une belle journée d'été. Tout à coup vous vous trouvez dans les ténèbres. Si vous vous laissez surprendre, vous êtes perdu.

— Perdu ? Comment ça ? questionne Mick.

— Ce brouillard peut durer pendant des journées, explique le forgeron. Et si vous vous égarez dans la lande, c'est fini, vous ne revenez jamais.

— Eh bien... il faudra qu'on fasse attention si on va encore se promener là-bas, conclut Annie.

— Oui, ouvrez l'œil. Guettez du côté de la mer, c'est de là que monte la brume.

— J'aimerais savoir pourquoi le nom a changé, intervient Charlie. La Lande des Brumes, oui, ça s'explique ; mais pourquoi la Lande du Mystère ?

— Il y a environ soixante-dix ans, lorsque j'étais un petit garçon...

Baudry s'interrompt et prend son temps pour

rallumer sa pipe et en tirer une bouffée. Les cinq enfants et Dagobert attendent en silence qu'il reprenne son récit. Il a rarement eu un auditoire aussi attentif.

— La famille Barthe venait de poser une petite voie ferrée dans la lande... commence-t-il.

— Ah ! s'exclame Claude. Justement on allait vous interroger sur ces rails.

— Vous l'avez vue ?

— Oui, mais continuez. Après, on vous racontera notre découverte.

Le maréchal-ferrant consacre toute son attention à sa pipe qui tire mal. Quelques minutes s'écoulent, Charlie a envie de trépigner. Dommage qu'elle ne soit pas un cheval, elle aurait pu s'en donner à cœur joie.

— Eh bien, les Barthe étaient très nombreux, reprend enfin le vieux Baudry. Neuf ou dix hommes, tous frères, et une seule petite sœur, très chétive. C'étaient de vrais géants. J'avais peur d'eux, car ils distribuaient facilement les coups de poing. L'un d'eux, Robert, a trouvé une grande étendue de sable dans la lande... Les Barthe ont décidé de l'exploiter et ils espéraient gagner gros. Ils ont acheté des wagonnets et ils transportaient le sable pour le vendre. C'était du très beau sable...

— Mais ces rails... rappelle Mick.

— Laisse-le parler ! gronde sa cousine.

— Quand ils ont eu beaucoup d'argent, ils ont posé une petite voie ferrée et se sont procuré une locomotive et des fourgons ; ça simplifiait le travail. Ah ! cette voie ferrée, ça nous semblait la huitième merveille du monde. Nous autres, les gosses, on admirait cette petite locomotive. C'était un modèle à vapeur, comme vous pouvez en voir dans les vieux films. On mourait d'envie de la conduire. Mais ce rêve était irréalisable. Les frères Barthe refusaient qu'on s'approche de leur chemin de fer. Chacun était armé d'un grand bâton et s'en servait quand il trouvait un gamin sur sa route. Des géants et des brutes, voilà ce qu'ils étaient.

— Aujourd'hui, la voie ferrée paraît abandonnée... fait observer François. Les rails sont recouverts de bruyère et d'herbes... On les voit à peine.

— Je m'en doute bien ! rétorque le vieillard en tirant sur sa pipe. J'en arrive maintenant à ce mystère dont vous parlez. Les Barthe sont entrés en conflit avec les gitans...

— Oh ! il y avait des gitans dans la lande ? questionne Annie. Comme aujourd'hui ?

— Oui, il y a toujours eu des gitans dans le coin, confirme Baudry. Je crois qu'ils traversent cette étendue déserte pour rallier les villages situés vers le sud sur la côte. Eh bien, les Barthe, paraît-il, ont voulu leur interdire le passage, ce qui n'a rien d'étonnant puisqu'ils ne toléraient personne sur leur territoire. Pour se venger, les bohémiens ont arraché des fragments de rails, çà et là, et la locomotive a déraillé en entraînant les wagons.

Les enfants imaginent très bien la catastrophe ; le petit convoi arrivant au bout des rails et s'écroulant dans les bruyères. Quel vacarme ! Les oiseaux ont dû être épouvantés !

— Les Barthe ont décidé qu'il leur fallait au plus vite punir cet attentat, poursuit le forgeron. Ils ont juré qu'ils mettraient le feu à toutes les roulottes des gitans qui s'aventureraient sur la lande et poursuivraient leurs occupants jusqu'à la mer.

— Quels gens terribles ! s'écrie Annie.

— Ça, oui, confirme Baudry. Tous avaient des épaules carrées, des sourcils qui cachaient presque leurs yeux et des voix terrifiantes. Personne n'osait les contrarier. À la moindre offense, leurs bâtons entraient en jeu. Ils faisaient la loi dans la région et ils étaient détestés. Nous autres gosses, on se sauvait dès qu'on apercevait l'un d'eux au coin d'une rue.

— Et les bohémiens ? Les Barthe sont arri-

vés à les chasser de la lande ? demande Charlie avec impatience.

— Laisse-moi raconter l'histoire à ma façon, réplique le vieil homme en la menaçant avec sa pipe. Vous auriez besoin d'un Barthe et de son bâton, mon petit gars, pour vous apprendre la politesse !

Il n'imagine pas qu'il s'adresse à une fille. Avec un bout de bois, il fouille dans sa pipe et il faut attendre encore. François fait un clin d'œil aux autres. Ce vieux bonhomme lui est très sympathique.

— Mais les gitans, lorsqu'on les attaque, peuvent être des ennemis dangereux, reprend le forgeron. Ne l'oubliez pas. Un jour, tous les Barthe ont disparu et on ne les a plus revus. Pas un. Il n'est resté de la famille que la petite Agnès, leur sœur qui boitait.

Tous poussent des cris de surprise et le maréchal-ferrant les regarde avec satisfaction, fier de son succès.

— Qu'est-ce qui s'est passé ? interroge Charlie.

— Personne ne le sait. C'est arrivé une nuit où le brouillard était très épais. Personne ne se risquait dans la lande par ce temps-là, excepté les Barthe qui continuaient à aller à leur sablière comme d'habitude. Ils disaient qu'en suivant la voie ferrée ils ne pouvaient pas se perdre. Il aurait fallu un tremblement de terre pour les empêcher de travailler !

Il s'interrompt, jette un coup d'œil sur son auditoire et baisse la voix. Son ton devient si dramatique que ses jeunes auditeurs en ont des frissons.

— Une nuit, quelqu'un a vu vingt roulottes ou plus traverser le village dans l'obscurité. Les gitans regagnaient la lande. Ils suivaient peut-être la voie ferrée, personne ne le sait. Le lendemain les Barthe sont allés à leur sablière et ils ont été engloutis dans le brouillard.

Il fait une nouvelle pause.

— Ils ne sont jamais revenus, reprend-il. Non, pas un seul. On n'a plus entendu parler d'eux.

— Qu'est-ce qui s'est passé ? demande Claude.

— Quand le brouillard s'est éclairci, on s'est mis à leur recherche, mais on ne les a pas retrouvés, vivants ou morts. Pas un ! Et les roulottes avaient aussi disparu.

— C'est horrible ! murmure Annie, bouleversée.

— Oh... soupire le vieillard. Tout ça c'est de l'histoire ancienne... et personne n'a regretté les Barthe, je vous l'assure. Le plus curieux, c'est que la petite sœur malade, Agnès, est la seule qui n'ait pas disparu lors de cette fameuse nuit. Bien au contraire, elle s'est fortifiée au fil du temps et a vécu jusqu'à quatre-vingt-seize ans ; elle est morte il y a quelques années. Ses frères qui étaient si costauds sont partis avant elle ! Pourtant, depuis leur disparition, elle s'était enfermée dans un profond silence. Le choc avait certainement été trop grand. Elle est restée mutique jusqu'à la fin de ses jours.

— C'est une histoire très intéressante, monsieur Baudry, déclare François. La Lande des Brumes est devenue alors la Lande du Mystère, c'est ça ? Et personne n'a jamais su ce qui s'était passé... le mystère reste donc entier. Est-ce que les villageois ont utilisé la voie ferrée depuis, et continué à exploiter la carrière ?

— Non. Nous avions tous peur, voyez-vous. Agnès elle-même ne s'est plus approchée du chemin de fer, de la locomotive et des wagons. Nous les avons laissés se détériorer sur place.

Une voix retentit de la forge où Fabrice, l'apprenti du vieux Baudry, a ferré les chevaux.

— J'aurai bientôt terminé le travail !

— Allez voir ferrer les dernières bêtes, conseille le maréchal-ferrant. Ça vous amusera. Je vous ai fait perdre votre temps avec mes vieilles histoires.

— Pas du tout ! le contredit François. C'était palpitant ! Au revoir !

— Au revoir, mes enfants, répond le forgeron. Et rappelez-vous mon conseil : prenez garde au brouillard de la lande !

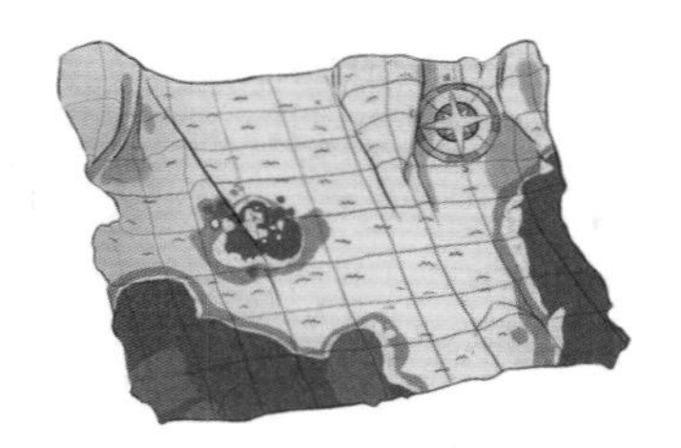

CHAPITRE 10

Les signes de piste de Mario

Dans la forge, les jeunes vacanciers observent avec intérêt Fabrice qui façonne les fers ; ses gestes sont précis et rapides ; c'est un plaisir de le regarder travailler.

— Vous écoutiez les histoires de M. Baudry ? questionne le jeune homme. Quand il était jeune, il était bien plus adroit que moi. Là... c'est le dernier fer. Reste tranquille, Marquise !

Les cinq enfants prennent bientôt le chemin du retour. La matinée est délicieuse et des boutons-d'or fleurissent les talus le long de la route.

— Que c'est joli, s'émerveille Annie en cueillant deux ou trois fleurs pour les épingler sur son pull. Les bijoutiers ne peuvent rien faire de plus beau.

— Quelle drôle d'histoire nous a racontée ce vieillard, estime François.

— Je n'ai plus du tout envie d'aller dans la lande, confie sa sœur.

— Poule mouillée ! raille Claude. Tout ça, c'est si vieux ! Je me demande si les gitans qu'on a vus pensent encore à ces événements. Ce sont peut-être leurs arrière-grands-parents qui ont été mêlés à l'affaire des Barthe...

— On pourrait quand même essayer de les rejoindre, suggère Charlie. On verra si on parvient à déchiffrer les signes que Mario a promis de laisser.

— Excellente idée ! approuve Mick. On ira cet après-midi. Dites, il est quelle heure ? On ne serait pas en retard pour le déjeuner ?

Ils consultent leurs montres.

— Oui, on est en retard, confirme Annie.

— Tant pis, déclare sa cousine. Je parie que Mme Girard a laissé notre part au chaud.

La jeune fille ne se trompe pas. Le poulet rôti est d'autant plus succulent qu'il a longtemps tourné sur sa broche ; des pommes de terre sautées et une tarte aux abricots complètent le repas.

— Les enfants, vous ferez la vaisselle, annonce leur hôtesse. Je n'aurai vraiment pas le temps.

— D'accord, acquiesce l'aîné du groupe.

Claude et moi, on lavera les assiettes, puis Annie et Mick les essuieront.

— On pourra aller dans la lande cet après-midi ? demande sa cousine.

— Oui, bien sûr, répond la propriétaire du club hippique. Mais si vous voulez emporter votre goûter, préparez-le vous-mêmes. J'emmène les petits en promenade à poney et nous devons partir tout de suite. Au revoir !

À trois heures, tout est prêt, y compris le goûter. Charlie s'est rendue à l'écurie pour seller les chevaux. Ses compagnons la rejoignent. Une fois qu'ils sont à califourchon sur leurs montures, ils ajustent leurs étriers. Puis ils se mettent en route.

— J'ai hâte de voir si on sait déchiffrer les signes de piste, lance Claude. Dago, ne cours pas après tous les lapins qui traversent le chemin ; je te préviens, on ne t'attendra pas !

Ils se rendent d'abord à l'emplacement où la tente de Mario était plantée la veille. De là, ils suivent la marque des pneus sur le sol : cinq caravanes et un camion ne se déplacent pas sans laisser des traces de leur passage.

— On dirait qu'ils se sont arrêtés ici ! annonce Mick en montrant quelques touffes d'herbe brûlée. C'est sûrement là que les gitans ont posé leurs réchauds ! On trouvera bientôt un message.

C'est Annie qui le découvre.

— Regardez ! derrière cet arbre ! crie-t-elle. À l'abri du vent.

Ils mettent pied à terre et se groupent autour de la fillette. Le signe de piste est bel et bien en évidence. Une croix dont le long bâton indique la direction à prendre. Une autre baguette montre qu'un convoi est passé, et, à côté, deux feuilles, une grande et une petite, recouvertes de petits cailloux.

— Que veulent dire ces feuilles ? questionne Mick.

— Elles symbolisent Mario et son chien. On est sur la bonne voie !

Ils remontent à cheval et partent. D'autres messages les guident. Une seule fois, ils hésitent sur la direction à suivre. Ils font enfin halte sous deux arbres isolés.

— La bruyère est si épaisse qu'elle n'a gardé aucune trace du passage des bohémiens, analyse François qui descend pour jeter un regard autour de lui.

Non, il n'y a absolument aucun indice.

— Allons plus loin, décide-t-il. On découvrira peut-être un coin d'herbe brûlée...

Mais ils ne trouvent rien et finissent par s'arrêter, tout à fait désorientés.

— Où on va, maintenant ? demande Mick.

— Retournons à ces deux arbres là-bas, propose Charlie. On les aperçoit encore. Mario a forcément laissé un code quelque part, j'en suis sûre !

Ils suivent ce conseil et l'adolescente distingue enfin le signe de piste, niché à l'abri du vent.

— Voilà la croix, la branche et les feuilles, s'écrie-t-elle. Regardez, le long bâton de la croix est tourné du côté de l'est... et nous, on allait vers le nord. On ne risquait pas d'atteindre le but !

Ils changent de direction et bientôt ils relèvent des traces du passage des gitans, des rameaux arrachés aux buissons, une ornière creusée dans le sol.

— On est sur la bonne voie, confirme Mick. Heureusement, on ne s'est pas découragés !

Après avoir cheminé pendant deux heures, ils se sentent l'estomac dans les talons et s'asseyent pour goûter à l'ombre d'un bouleau qui abrite des primevères. Dagobert hésite un moment : ira-t-il à la chasse aux lapins ou restera-t-il pour partager les provisions de ses amis ? Incapable de faire un choix, il court quelques minutes après un gibier imaginaire et revient mendier une tartine.

— Est-ce qu'il existe une seule chose que ce chien ne mange pas ? se désespère Charlie. Aujourd'hui on a du pain beurré, du saucisson, du gruyère et du chocolat ; et finalement, c'est lui qui avale tout !

— À t'entendre, Charlotte, on croirait que Dag est un glouton, intervient Claude, vexée. Personne ne te demande de lui donner ta part. Je suis là pour le nourrir.

— Ne t'énerve pas, chuchote Mick à son oreille.

— Je ne voulais pas te blesser, s'excuse Charlie en riant. Quand il se place devant moi et me regarde de cet air suppliant, je ne peux rien lui refuser.

— Ouah ! ouah ! approuve l'animal, qui s'assoit à présent devant Annie, la langue pendante et le regard fixé sur elle.

— Il m'hypnotise, commente la benjamine des Cinq. Va voir ailleurs, Dago ! Laisse-moi manger tranquillement !

François regarde sa montre.

— Il ne faut pas perdre trop de temps, explique-t-il. Je sais bien que les jours sont longs, mais on n'a pas encore atteint le camp

des bohémiens et après il faudra retourner au club équestre. Si on repartait tout de suite ?

Chacun est d'accord et ils se remettent en selle.

— Si on continue à aller vers l'est, on arrivera au bord de la mer, fait observer Mick.

— Oh ! non, elle est encore à plusieurs kilomètres, nuance son frère. Tiens... Tu vois cette petite colline là-bas ? C'est la première fois qu'on aperçoit une élévation de terrain dans cette plaine.

Les empreintes se dirigent vers le monticule qui, à mesure qu'ils s'en approchent, grandit à vue d'œil.

— Je parie que les gitans sont là-bas, déclare Claude. Ils seraient à l'abri du vent de la mer. Il me semble que je les vois !

L'adolescente ne se trompe pas ; les caravanes sont là.

— On pourrait aller demander si Pompon va bien ? suggère François. Ce serait une bonne entrée en matière.

Ils mettent les chevaux au petit galop. Quatre ou cinq hommes, alertés par le bruit des sabots, s'avancent. Ils sont silencieux. Mario arrive en courant et lance :

— Salut ! Pompon va bien ! Il est tout à fait guéri.

Son père lui donne une bourrade et lui adresse quelques mots d'un ton irrité. L'enfant disparaît derrière le véhicule le plus proche. Mick s'approche.

— Je suis content que ton cheval aille mieux. Il est où ?

— Là-bas, répond Castelli avec un geste de la tête. Inutile d'aller le voir. Il va tout à fait bien.

— Bon, bon, se rétracte le jeune garçon. Vous avez choisi une bonne place, bien abritée. Vous restez combien de temps ?

— Qu'est-ce que ça peut vous faire ? rétorque un vieux gitan d'un ton désagréable.

— Rien. Je demandais simplement par politesse.

— Vous arrivez à vous procurer de l'eau ? interroge Charlie. Vous avez une source par ici ?

Elle n'obtient pas de réponse. Autour du groupe de jeunes vacanciers, un cercle de bohémiens s'est maintenant formé. Ils sont accompagnés de chiens qui grognent. Dagobert commence à montrer les dents.

— Vous feriez mieux de partir avant que nos bergers allemands sautent sur vous, recommande Castelli, les sourcils froncés.

— Où est Flop ? demande Claude.

Mais au même moment, trois molosses se jettent sur Dago. L'attaque est violente et, bien qu'il soit plus grand et plus vigoureux que ses assaillants, le pauvre animal succombe presque sous leur nombre.

— Rappelez ces bêtes ! hurle François, car sa cousine saute à terre pour aider son fidèle compagnon et elle risque d'être mordue.

— Vous entendez ? Rappelez-les !

Le père de Mario siffle. À regret, les trois dogues abandonnent leur proie et retournent à leurs maîtres, la queue entre les jambes.

— Allez, on s'en va ! décide Mick qui juge inquiétants ces hommes silencieux et menaçants.

Claude se remet en selle et, suivie de Dagobert, s'éloigne de ce camp inhospitalier. Ses cousins et Charlie en font autant. Les gitans regardent les visiteurs partir sans un mot.

— Qu'est-ce qui leur prend ? demande François, irrité. On ne leur a rien fait ! Pourquoi cet accueil ? Vu leur attitude, je veux bien croire qu'ils ont pu être responsables de la disparition des Barthe ! À mon avis, ils les ont tués...

— Oh ! s'il te plaît, ne dis pas de telles horreurs, s'indigne Annie.

— Ton frère a raison, intervient Charlie. Tu

vois bien que ces gitans manigancent tout ce qu'ils veulent dans ce désert. Ils sont effrayants.

— Ils croyaient seulement qu'on venait les espionner, modère Mick. C'est tout. Mais ce pauvre Mario... Je le plains de tout mon cœur.

— On n'a même pas pu lui dire qu'on avait utilisé ses signes de piste, se désole la jeune fille. Mais après tout, ils ne nous ont menés à rien, pas même à une aventure...

Est-ce bien vrai ? Les Cinq s'interrogent du regard. Ils n'en sont pas si sûrs...

CHAPITRE 11

Un plan bien préparé

Pendant le dîner, les cinq pensionnaires racontent à M. et Mme Girard leur aventure de l'après-midi.

— Des signes de piste ! s'exclame la jeune femme. Mario vous a confié son secret ?

— Oui, répond Annie. Il a laissé des messages...

— Vous connaissez l'histoire des Barthe ? coupe Charlie, prête à la rappeler et à y ajouter des épisodes inédits.

— Non, mais elle peut attendre, réplique la propriétaire du club, qui n'ignore pas que sa convive, quand elle pérore, oublie le contenu de son assiette. C'est toi qui l'as inventée ? Alors, on l'écoutera après le dîner.

— Pas du tout ! s'insurge Claude qui n'aime

pas que sa rivale accapare toute l'attention. Nous la tenons du vieux Baudry. Vous voulez l'entendre ?

— Non, pas maintenant, intervient M. Girard. Vous êtes arrivés en retard pour le dîner, nous vous avons attendus ; maintenant dépêchez-vous de manger.

Les cinq petits, à l'autre table, font la grimace. Les récits mirifiques de Charlie les amusent beaucoup. Mais leur hôte est fatigué et il a faim.

— Mais c'est une histoire passionnante...

— Assez, Charlotte !

La jeune fille rougit et Claude, goguenarde, envoie un coup de pied à Mick sous la table. Malheureusement c'est la cheville de Charlie qu'elle atteint et elle reçoit en retour un regard courroucé.

« Oh ! non ! pense Annie. Voilà une nouvelle dispute qui commence... »

— Pourquoi tu m'as fait mal ?

— Vous deux, taisez-vous ! ordonne François, exaspéré. Ce geste était probablement destiné à mon frère.

Charlie se tait. Les réprimandes du jeune homme la touchent au vif. Claude, les lèvres pincées, s'en va avec Dagobert. Sa cousine bâille.

— Il y a encore quelque chose à faire ? questionne-t-elle. Ne me chargez pas de laver la vaisselle. Je crois que je casserais toutes les assiettes.

Mme Girard l'entend et se met à rire.

— Non, ce soir, ce sont les petits qui s'en chargent. Jetez plutôt un coup d'œil aux chevaux. Faites attention que Jenny ne soit pas à côté de Marquise, elles se détestent et nous ne les mettons jamais dans le même pré. Après, vous pourrez aller vous coucher. Vous avez des projets pour demain ?

— Pas encore, répond François, déjà somnolent.

Leur hôtesse leur souhaite une bonne nuit. Les enfants remplissent la mission qu'elle leur a confiée. Puis les garçons disent bonsoir aux trois filles et se dirigent vers l'écurie.

— On a oublié de se doucher, murmure Mick à demi endormi.

Le courrier du lendemain apporte des nouvelles pleines d'imprévu. Charlie lit la lettre qui lui est destinée et fait la grimace. Mme Girard, lorsqu'elle a pris connaissance de sa correspondance, lève les bras au ciel. Quant à son mari, il s'est enfermé dans son bureau pour téléphoner.

Charlie annonce que deux vieilles tantes viendront passer la journée et celle du lendemain dans le voisinage et se proposent de la prendre avec elles pendant ces quarante-huit heures.

— Quel ennui... ajoute-t-elle. Tante Marthe et tante Lucie auraient pu choisir une autre semaine ! Juste au moment où François et Mick sont là et où on s'amuse tant. Je peux téléphoner pour dire que je suis trop occupée, madame Girard ?

— Certainement pas ! répond cette dernière, indignée. Ce serait très impoli et ce serait aussi un mensonge. Tu passes toutes tes vacances de Pâques ici et tu peux bien consacrer deux journées à ta famille. D'ailleurs, ça m'arrange que tes tantes s'occupent de toi quelque temps...

— Pourquoi ? Je suis encombrante ?

— Ce n'est pas cela, mais j'ai reçu ce matin deux appels qui m'annoncent l'arrivée inattendue de quatre nouveaux pensionnaires. Je me demande ce que je vais faire d'eux.

— Oh ! là ! là ! intervient Annie, l'air inquiet. Vous allez devoir renvoyer Mick et François à la maison ? Après tout, il n'était pas prévu qu'ils viennent ici.

— Oui, je sais, acquiesce Mme Girard. Mais j'aime bien avoir de grands garçons comme eux

qui peuvent donner un coup de main. Voyons, qu'allons-nous faire ?

Son époux entre dans la cuisine en coup de vent.

— Je viens d'avoir une conversation téléphonique avec Gilles, qui tient un centre équestre à Mourgen, annonce-t-il. Il doit fermer son établissement plusieurs jours pour y faire des travaux, et il veut que j'accueille deux de ses juments ici.

— En voilà une journée ! s'écrie la jeune femme. Combien serons-nous dans la maison ? Et combien de chevaux ?

La benjamine des Cinq compatit aux soucis du jeune couple et se sent un peu responsable. Non seulement Claude et elle ont prolongé leur séjour, mais, de plus, les garçons sont venus les rejoindre. Elle se met à la recherche de son frère aîné ; il prendra une décision. Elle le trouve avec Mick en train de charrier des bottes de paille.

— François ! appelle la fillette.

Celui-ci laisse glisser son fardeau.

— Qu'est-ce qu'il y a ? Ne me raconte pas que Claude se dispute de nouveau avec Charlie, je n'écouterai pas.

— Non, il ne s'agit pas de ça. C'est Mme Girard. Plusieurs enfants et deux chevaux arrivent à l'improviste. Elle est affolée et je me demande ce qu'on pourrait faire pour l'aider... Elle ne croyait pas qu'on serait ici tous les quatre cette semaine.

— C'est vrai, reconnaît l'aîné des Cinq en s'asseyant sur la paille. Réfléchissons.

— C'est facile, intervient Mick. On n'a qu'à prendre nos tentes, des provisions et aller camper dans la lande près d'une source. Ce sera très drôle.

— Oh ! oui, se réjouit Annie, les yeux brillants. C'est une idée géniale ! Les Girard seront débarrassés de nous et de Dagobert. Et nous, on sera tellement bien, seuls tous les cinq !

— Exact ! renchérit François. Ce serait faire d'une pierre deux coups. On a deux tentes, très petites, mais elles suffiront. Et on peut emprunter des bâches pour mettre sur la bruyère, bien qu'elle soit très sèche.

— Je vais annoncer la nouvelle à Claude ! déclare gaiement la fillette. Partons aujourd'hui ! On libérera les chambres avant l'arrivée des nouveaux pensionnaires.

Elle court avertir sa cousine. Celle-ci est en train d'astiquer la selle et le filet de sa jument préférée. Charlie, qui est là, a un air déconfit.

— Quel dommage, gémit-elle. Sans mes

tantes, je vous aurais accompagnés. Elles viennent vraiment au mauvais moment. C'est énervant !

Les deux autres sont d'un avis contraire et se réjouissent à l'idée que tous les quatre pourront partir avec Dagobert, comme ils l'ont déjà fait si souvent. Et assurément, sans la visite des tantes, ils auraient été obligés d'inviter Charlie.

Claude, par politesse, dissimule sa joie. Elle se joint à Annie pour consoler la pauvre Charlotte, puis toutes les deux vont trouver Mme Girard.

— C'est une bonne idée, estime cette dernière. Votre départ m'arrangerait bien, car j'aurais des chambres à offrir à mes nouveaux pensionnaires. Mais je ne peux vous autoriser à aller camper seuls sans en avoir discuté avec vos parents. Je vais leur téléphoner tout de suite.

Elle revient quelques minutes plus tard, l'air soulagé.

— C'est bon ! annonce-t-elle. Vos mamans m'ont dit que vous aviez déjà passé des séjours seuls en camping. Voilà qui arrange tout. Je regrette seulement que Charlie ne puisse pas venir avec vous, mais ses tantes l'adorent ; elle ne peut pas refuser de les voir.

— En effet ! approuve immédiatement Claude d'un ton solennel. C'est tout à fait impossible.

Les préparatifs commencent aussitôt. François et Mick font l'inventaire de ce qu'ils possèdent. Leur hôtesse cherche des bâches et fournit des provisions.

Les jeunes campeurs parcourent le centre équestre de long en large pour récupérer tout ce dont ils ont besoin. Aussi joyeux que les autres, Dagobert agite la queue avec vigueur. Vive le Club des Cinq !

— Vous serez très chargés, remarque Mme Girard. Vous n'irez pas très loin dans la lande, n'est-ce pas ? Vous pourrez facilement revenir si vous avez besoin de quelque chose. Passez à la maison tous les deux ou trois jours pour vous ravitailler en nourriture et en boissons.

Quand tout est prêt, ils vont dire au revoir à Charlie. Elle prépare une petite valise en prévision des deux jours qu'elle doit passer avec ses tantes.

— Vous irez où ? questionne-t-elle. Tout en haut de la voie ferrée ?

— Oui, confirme François. On verra jusqu'où elle va. Et en suivant les rails, on ne peut pas se perdre.

— Amuse-toi bien, Charlotte ! lance Claude en ricanant. Est-ce que ta famille t'appelle par ton vrai prénom ?

— Oui, fait la pauvre adolescente, dépitée. Salut ! Vous ne resterez pas trop longtemps absents, c'est promis ? D'ailleurs, vous avez tous un tel appétit qu'il faudra bien que vous reveniez chercher des provisions avant deux jours...

Ils la quittent, Dagobert sur leurs talons, et prennent le chemin de la lande.

— C'est parti ! s'écrie Claude avec satisfaction. Et sans cette vantarde de Charlie.

— Tu es dure avec elle. C'est une chic fille, tempère Mick. Quand même, c'est super d'être entre nous... Le célèbre Club des Cinq est en route vers l'aventure !

CHAPITRE 12

La voie ferrée

La journée est très chaude. Les Cinq ont déjeuné avant de partir : comme le dit Mme Girard, un repas est plus facile à emporter dans l'estomac que dans un sac !

Tous sont lourdement chargés... même Dagobert. Claude juge qu'il doit prendre part aux corvées et elle lui a attaché sur le dos une sacoche remplie de ses croquettes préférées.

— Voilà ! Je n'aime pas les fainéants ! décrète-t-elle. Arrête de flairer les biscuits tout le temps, Dago... Tu ne peux pas marcher avec la tête tournée. Tu devrais vraiment connaître leur odeur depuis le temps que tu en manges !

Ils cherchent longtemps la voie ferrée dissimulée dans la bruyère. Annie la découvre en trébuchant dessus.

— Aïe ! Oh ! la voilà ! J'ai bien failli tomber.

— Parfait, commente François en s'engageant entre les deux rails rouillés.

À certains endroits, le chemin de fer s'interrompt. Ailleurs, la bruyère la recouvre et les enfants peinent à la retrouver.

Le soleil tape et les sacs à dos pèsent très lourd. Le paquet de Dagobert glisse sous son ventre. C'est trop gênant. Il s'assied et s'efforce d'ouvrir le sac avec ses dents. Claude l'aperçoit, pose son propre fardeau et va à son secours.

— Si tu ne courais pas après les lapins, ça n'arriverait pas, sermonne-t-elle. Voilà, c'est arrangé, Dago. Marche tranquillement et tout ira bien.

Ils suivent toujours les rails qui, quelquefois, décrivent une courbe autour d'un rocher. Bientôt le sol devient sablonneux et les touffes de bruyère s'espacent. Il est plus facile de voir le chemin de fer, mais çà et là le sable le recouvre.

— Il faut que je me repose, déclare Annie en s'asseyant. J'ai besoin de souffler un peu ! Sinon, je vais finir la langue pendante, comme Dag !

— Je me demande jusqu'où vont ces rails,

marmonne Mick. Je pense qu'on doit approcher de la carrière.

Ils s'allongent dans la bruyère ; peu à peu le sommeil les gagne. François bâille. Aussitôt, il se redresse.

— Il ne faut pas rester là, décrète-t-il. On risque de s'endormir. Or, au réveil nos sacs nous paraîtront encore plus lourds. Debout, bande de paresseux !

Ils se lèvent. Le paquet du chien a de nouveau glissé sous son ventre et Claude le remet en place. L'animal a chaud et soif ; pour se débarrasser des biscuits, il les aurait volontiers croqués jusqu'au dernier.

Bientôt la bruyère et les ajoncs disparaissent complètement. Il n'y a plus que du sable, dispersé par le vent ; les Cinq sont obligés de fermer les yeux.

— Hé ! Les rails finissent ici, constate François en se baissant.

— Ils reprennent peut-être un peu plus loin, avance Mick, et il fait une rapide exploration.

Mais il ne trouve rien et revient vers les autres.

— On dirait que la voie ferrée s'arrête à cet endroit. Je croyais qu'elle nous mènerait à la carrière. Il fallait bien que la locomotive et les wagons s'y rendent... Je me demande pourquoi les rails s'interrompent si brusquement...

— Tu as raison, la carrière devrait être tout près, approuve François. Cherchons-la d'abord.

Elle n'est pas loin, en effet, mais il leur faut cependant un certain temps pour la découvrir. Enfin Claude fait le tour d'un fourré d'ajoncs et pousse un cri. Devant elle se dresse une grande excavation. C'est là sûrement que les Barthe venaient prendre le sable fin qu'ils vendaient très cher.

— Voilà ! s'exclame la jeune fille. Venez voir !

Les autres la rejoignent. Le creux, en effet, est immense. Ils posent leurs sacs à dos et sautent au fond. Leurs pieds s'enfoncent dans le sable.

— Les parois sont pleines de trous, observe Mick. Je parie que des oiseaux y font leurs nids.

— Il y a même des espèces de cavernes, ajoute Claude, surprise. On pourra s'y abriter s'il pleut.

— Oui, mais j'aurais peur que le sable ne s'éboule sur moi et ne m'ensevelisse si j'entrais là-dedans, confie Annie. Voyez comme il est fin.

Et elle en fait tomber un peu avec sa main.

— J'ai trouvé les rails ! s'exclame alors son

frère aîné. Ils sont presque entièrement recouverts ! J'ai marché dessus et ils sont tellement rouillés que l'un d'eux s'est cassé sous mes pieds.

Tous accourent, y compris Dagobert qui est au comble de la joie. Tous ces trous lui promettent des flopées de lapins.

— Où va ce chemin de fer ? questionne François.

Ils déblaient le sable et suivent la voie ; elle s'arrête à quelque distance de la carrière pour reprendre un peu plus loin. Mais, à environ dix mètres de là, les rails ont été arrachés, mis en morceaux et jetés dans la bruyère. On aperçoit çà et là de vieux débris.

— C'est sans doute le vestige de la colère des gitans, remarque Mick. Quand ils se sont battus avec les Barthe. Regardez ce monticule recouvert d'ajoncs.

Ils s'approchent. Dagobert, qui ne sait pas ce que cache ce tas de sable et de pierres, grogne. Avec un morceau de ferraille, Claude fourrage les ajoncs.

— Ça alors ! lâche-t-elle, saisie de stupeur.

Tous restent ébahis.

— C'est la locomotive, la petite locomotive dont le vieux Baudry nous a parlé, articule Annie d'une voix tremblante. Elle a déraillé à l'endroit où les rails étaient arrachés et les ajoncs, peu à peu, l'ont cachée. C'est une vision impressionnante...

Sa cousine écarte un peu plus les buissons. Devant les quatre campeurs se dresse un imposant engin, surmonté d'une large cheminée noire. Sur les flancs du corps cylindrique se superposent et s'entrecroisent un réseau complexe de tuyaux, de tubes et de boulons rouillés.

— Cette machine ne date pas d'hier, observe Mick. On dirait un fantôme métallique issu des temps anciens !

— C'est un train à vapeur... précise son frère. Voici la chaudière ! Et ce wagon attelé à la locomotive s'appelle un tender. C'est là qu'étaient autrefois stockés les combustibles... J'ai lu tout ça dans un livre que tante Cécile m'a offert à Noël.

— Que sont devenus les wagonnets dont nous a parlé le maréchal-ferrant ? demande Annie.

— J'imagine que les villageois ont réussi à les remettre sur les rails après la disparition des Barthe. C'était facile de les pousser jusqu'au Moulin Blanc, suppose François. Mais pour soulever la locomotive, il aurait fallu une grue. C'est sans doute pourquoi elle a été abandonnée ici.

— Vous pensez que les bohémiens se sont débarrassés des frères après avoir fait dérailler leur convoi ? interroge Claude.

— C'est possible, acquiesce l'aîné des Cinq, l'air sombre. À mon avis, les gitans sont sortis du brouillard comme des spectres ; ils ont pris leurs ennemis par surprise.

— Et ensuite ?

— Je ne sais pas... poursuit le jeune garçon après un instant de silence. Mais je ne vois qu'une réponse : les Barthe ont certainement été tués et leurs corps jetés dans la mer...

— Oh ! souffle sa sœur. C'est horrible !

— Dommage qu'Agnès, la sœur des neuf frères, ne soit plus en vie pour raconter ce qui s'est vraiment passé cette nuit-là...

— De toute façon, même si elle vivait, elle ne dirait rien, souligne la benjamine du groupe. Souviens-toi du récit de Baudry : Agnès est devenue muette après la disparition de sa famille.

Ils retournent à la carrière.

— On pourrait camper ici, non ? suggère Mick. Le sable est très sec et très doux. On dormirait bien dessus. On n'aurait pas besoin de tentes ; les parois de la carrière nous abriteraient du vent.

— Bonne idée, approuve Claude. Installons-nous ici. Ces trous nous serviront d'armoires et de garde-manger. Quant à l'eau, Dagobert va nous dénicher une source. Dago, va chercher à boire ! Dag, à boire ! Tu as soif, hein ? Ta langue pend jusqu'au sol !

L'animal penche la tête de côté. De l'eau ? Boire ? Il connaît très bien le sens de ces mots. Il file, le nez contre la terre. Sa maîtresse le suit des yeux. Il disparaît derrière un buisson et revient dix minutes plus tard.

— Il a trouvé de l'eau ! Regardez, son museau est tout mouillé. Dago, mon chéri, montre-nous d'où tu viens !

Le chien agite vigoureusement la queue. Il fait le tour du bosquet et ses compagnons le suivent. Dans une prairie voisine, un ruisseau chante sa mélodie argentine.

Les eaux, irisées par le soleil, coulent dans un petit canal creusé dans le sable, puis disparaissent sous les bruyères.

— Bien joué, Dago ! le félicite Claude. Vous croyez que cette eau est potable ?

— Oui, affirme François. Les Barthe ont placé un tuyau. Regardez ! Ils ont capté une autre source beaucoup plus abondante. On ne pouvait pas espérer mieux.

— Quelle chance ! se réjouit Annie. C'est à

deux pas de la carrière et j'avais une de ces soifs !

Ils boivent dans le creux de leurs mains. L'eau est fraîche et pure.

— On goûte ? propose Mick en ouvrant son sac à dos.

Ils s'asseyent dans la carrière ensoleillée, sur le sable chaud.

— On est dans un vrai désert, remarque Annie avec satisfaction. À des kilomètres de toute activité humaine...

Mais la fillette se trompe. Des yeux perçants les observent.

CHAPITRE 13

Un bruit dans la nuit

C'est Dagobert qui s'aperçoit le premier d'une présence étrangère. Il dresse les oreilles et grogne.

— Qu'est-ce qu'il y a, Dago ? Quelqu'un approche ?

L'animal émet un petit jappement. Puis il remue la queue et bondit hors de la carrière.

— Où il va ? s'écrie Claude, étonnée. Tiens, il revient !

Oui, il revient accompagné d'un petit chien à l'allure comique. C'est Flop ! Le tapis sur pattes !

Dagobert l'accueille comme s'il retrouvait son meilleur ami. Annie caresse le roquet et François l'observe pensivement.

— J'espère que ça ne veut pas dire qu'on

est près du campement des gitans, murmure-t-il.

— Oh ! fait Mick. Tu as raison... Après tout, on sait que les gitans d'autrefois venaient s'installer à côté de la carrière ; c'est d'ailleurs pour cette raison qu'ils sont entrés en conflit avec les Barthe qui ne voulaient pas de leur présence. Leurs descendants reviennent peut-être au même endroit.

— Et alors ? questionne sa cousine. Tu as peur d'eux ? Pas moi !

Ils restent tous immobiles. Flop lèche la main d'Annie. Dans le silence, ils devinent un reniflement qui leur est bien familier.

— Mario ! lancent-ils en chœur. Sors de ta cachette. On t'entend !

Deux jambes émergent d'un fourré de bruyère au bord de la carrière, puis le corps menu du petit garçon glisse sur le sable. L'enfant sourit timidement.

— Qu'est-ce que tu fais ici ? interroge Mick sévèrement. Tu nous espionnes ?

— Non ! non ! assure le gitan. Notre camp n'est pas très loin. Flop vous a entendus, je crois, et je l'ai suivi.

— Zut ! lâche Claude. Et nous qui pensions être loin de tout.... Ta famille sait qu'on est ici ?

— Pas encore. Mais ils le découvriront bien-

tôt. Ils sont malins, vous savez. Je ne dirai rien, si vous voulez.

— Oui, il vaut mieux que tu gardes le silence, approuve l'aîné des Cinq. On ne gêne personne et on ne veut pas avoir des bâtons dans les roues.

Le garçonnet hoche la tête. Il plonge la main dans sa poche et en tire l'étui de mouchoirs, encore plein et soigneusement fermé.

— Je n'en ai abîmé aucun ! annonce-t-il fièrement à Claude.

— Tu as eu tort, riposte-t-elle. C'est pour te moucher. Non, ne te sers pas de ta manche.

Le petit n'arrive pas à comprendre pourquoi il doit salir ces beaux mouchoirs propres alors qu'il a une manche bonne à tout usage. Il remet la pochette plastifiée dans sa poche.

Flop et Dagobert viennent jouer avec lui. Quand ils ont fini leur goûter, les campeurs rangent leurs provisions. Leur jeune visiteur fait mine de partir.

— Salut ! lance François. Et ne viens pas nous espionner. Dago saura immédiatement que tu es là et se lancera à ta poursuite. Si tu veux nous voir, siffle de loin. Ne te glisse pas dans la carrière. Compris ?

— Oui, assure l'enfant.

Il tourne les talons et s'éloigne escorté de son inséparable compagnon.

— J'aimerais savoir où se trouve exactement le camp des bohémiens, révèle Mick.

Il fait quelques pas dans la direction que Mario a prise. Oui, il aperçoit la colline qui abrite les caravanes. Elle s'élève à environ cinq cents mètres. Zut ! Mais avec un peu de chance, les bohémiens ne se douteront pas de leur présence.

— On va passer la nuit ici, décide le jeune garçon, et demain, si ça nous chante, on ira plus loin.

Ils oublient bientôt ce fâcheux voisinage et retrouvent leur entrain pour faire une joyeuse partie de ballon. Dagobert se joint à eux. Mais il a la manie d'attraper la balle avec ses dents et ils sont obligés de l'attacher. L'animal, profondément vexé, tourne le dos d'un air boudeur.

— Ha ! Il te ressemble, Claude ! s'esclaffe François.

Et sa cousine, irritée, lui jette le ballon à la tête.

Personne n'a faim à l'heure du dîner. Annie va à la source remplir une petite gourde. L'eau est délicieuse.

— Je me demande ce que fait Charlie, dit la fillette. Ses tantes doivent bien la gâter ! Elle

aurait tellement voulu nous accompagner camper... Je l'aime bien.

— Je la vois presque comme un garçon, déclare Mick. Comme toi, Claude, se hâte-t-il d'ajouter. Vous êtes deux chics types !

— Tu trouves que Charlotte ferait un bon garçon ? répète sa cousine d'un ton méprisant. Avec ses histoires débiles ? Je parie qu'elle les a toutes inventées.

François juge plus sûr de changer le sujet de la conversation.

— Vous pensez qu'on aura froid cette nuit ? demande-t-il.

— Oh ! non, assure la maîtresse de Dagobert. De toute façon, si on grelotte, on pourra se glisser dans une de ces petites grottes. Il y fait très bon. Je suis allée voir.

Ils s'installent de bonne heure pour dormir. Les garçons prennent un côté de la carrière et les filles, l'autre. Comme d'habitude, le chien se couche sur les pieds de Claude.

— Il est sur les miens aussi, proteste Annie. Et il est trop lourd. Dégage, Dag !

L'animal change de place, mais dès que la fillette est endormie, il reprend son poste initial. Malgré la fatigue de la journée, il ne dort que d'un œil et d'une oreille. Un hérisson passe, des lapins quittent leur terrier pour jouer, des grenouilles coassent dans un étang lointain. Dagobert entend tous ces bruits et même le murmure argentin de la petite source. Personne ne bouge dans la carrière. Le croissant de lune qui brille dans le ciel au milieu des étoiles ne donne pas beaucoup de clarté.

Soudain, il lève la tête. Avant même de se réveiller, il est sur le qui-vive.

Un bourdonnement, d'abord lointain, devient de plus en plus proche. Le chien se redresse, les yeux, grands ouverts. Le son s'intensifie. Brusquement tiré de son sommeil, François se demande ce qui se passe.

— On dirait le bruit d'un avion qui vole très bas... chuchote-t-il. Il ne va pourtant pas atterrir dans la lande en pleine nuit !

Mick s'assied à son tour sur le sable, puis tous deux sortent de la carrière.

— C'est bien un avion, confirme le cadet à voix basse. Qu'est-ce qu'il fait ? Il n'a pas l'air de vouloir se poser. Il tourne en rond. Tu crois qu'il est en danger ? Ou en panne ? Le voilà qui revient !

— Hé ! Regarde cette lueur là-bas, lance brusquement son frère en indiquant l'est. Tu vois ? Ce rayonnement, pas loin du camp des gitans ?

— Bizarre... Ce n'est pas un feu... On ne

voit pas de flammes et la clarté ne vacille pas comme celle d'un foyer.

— Je crois que c'est une sorte de point de repère pour l'avion. L'appareil semble tourner autour.

Ils redoublent d'attention. Oui, l'engin décrit plusieurs cercles ; brusquement il s'élève dans les airs et se dirige vers l'est.

— Il s'en va, constate Mick, les yeux écarquillés.

— Qu'est-ce qu'il est venu faire ? La clarté aurait pu l'aider à atterrir... Mais il ne s'est pas posé... Il a tourné en rond et il est parti.

— Je me demande d'où il vient... De la côte, peut-être ?

— Je n'en sais rien, avoue François. Ça me dépasse. Tu crois que cet appareil a un rapport avec les gitans ?

— Dur à dire... On a simplement vu cette lueur, qui semblait provenir de leur emplacement. Ah ! elle s'éteint maintenant. Tu as vu ?

En effet, la nuit a repris possession de la lande.

— Eh bien... soupire l'aîné des Cinq en se grattant la tête. Je n'y comprends rien. Les bohémiens manigancent peut-être quelque chose. Ils viennent dans ce désert sans raison apparente... et ils ne tiennent pas à ce qu'on les observe. Ça, on en a eu la preuve.

— Il faut qu'on découvre à quoi correspond cette clarté, décide Mick. Demain on fera une petite enquête. Mario nous renseignera peut-être.

— C'est possible. On l'interrogera. Et maintenant, retournons dans la carrière ; il fait froid ici.

Les filles dorment toujours. Dagobert ne les a pas réveillées, bien qu'il soit aussi intrigué que François et Mick. Les garçons se blottissent sous leurs couvertures et sont bientôt réchauffés. Quelques minutes plus tard, ils dorment.

Le lendemain matin, le chien se réveille le premier et s'étire. Annie se redresse avec un petit cri.

— Aïe ! Dag ! Tu m'as fait mal ! Fais ta gymnastique sur le sac de couchage de Claude, pas sur moi !

Ses frères se lèvent à leur tour, vont faire leur toilette à la source et rapportent une gourde pleine d'eau. Tous préparent ensemble le petit déjeuner et, pendant qu'ils mangent, les garçons racontent les événements de la nuit.

— Incroyable ! lâche Claude. Et cette lumière... ce devait être une sorte de signal pour guider l'avion. J'aimerais voir l'endroit où elle était. Vous pensez qu'elle provenait des gitans ?

— Il faut le découvrir ! affirme Mick. Cette histoire d'avion est bien mystérieuse. Allons explorer les environs ce matin. On prendra Dago pour nous défendre au cas où on rencontrerait un danger...

CHAPITRE 14

Les gitans sont mécontents

François et Mick sortent de la carrière et cherchent à repérer l'endroit où ils ont aperçu la clarté.

— Je crois que c'est plus loin que le camp des gitans, sur la gauche, avance l'aîné.

— J'ai le même souvenir que toi, confirme son frère. Si on y allait tout de suite ? Les filles, dépêchez-vous ! On part maintenant ! Vous venez ? On peut laisser nos sacs à dos dans les grottes, puisqu'on revient bientôt.

— On va rester ici, répond Claude, Dago a une épine dans la patte. Il boite. On va le soigner. Allez-y sans nous ! Mais faites attention aux gitans... Rappelez-vous qu'ils n'aiment pas qu'on s'approche de leur camp. Surtout s'ils ont quelque chose à cacher... quelque chose qui aurait à voir avec ce mystérieux avion...

— Ne t'inquiète pas, la rassure François. La lande est aussi bien à nous qu'à eux, ils le savent. On vous laisse avec Dago. Vous n'avez pas besoin qu'on vous aide à le soigner ?

— Non, ça va. On y arrivera toutes seules, merci.

Les garçons s'éloignent, laissant les cousines penchées sur la patte du chien. En poursuivant les lapins, celui-ci a pénétré dans un buisson d'ajoncs et une ronce s'est enfoncée dans son pied droit. Le pauvre animal claudique et souffre beaucoup. Heureusement, il a deux infirmières dévouées.

François et Mick partent d'un bon pas. C'est une vraie journée d'été, bien chaude pour un mois d'avril. Dans le ciel bleu myosotis, il n'y a pas un seul nuage. Les frères voudraient bien enlever leurs pulls, mais ils ne tiennent pas à les porter sur le bras au risque de les perdre. Le campement des bohémiens, en réalité, n'est pas loin. Ils arrivent bientôt à l'étrange colline qui rompt la monotonie de la lande. Les caravanes sont toujours là et plusieurs hommes discutent avec animation.

— Je parie qu'ils parlent de l'avion de cette nuit ! souffle Mick, tout excité. À tous les coups, ce sont eux qui ont placé cette lumière pour le guider. Mais pourquoi est-ce qu'il n'a pas atterri ?

Ils contournent le camp en se dissimulant derrière les ajoncs, car ils ne tiennent pas à être vus. Les chiens, couchés près de leurs maîtres, n'aboient pas. Les garçons se dirigent vers l'endroit, un peu à gauche du camp, où ils se rappellent avoir vu briller la lueur.

— Je ne vois rien d'anormal, constate François en s'arrêtant.

— Attends... Qu'est-ce qu'il y a là-bas, dans ce creux ? dit son frère en désignant une déclivité du terrain. On dirait une autre carrière... comme celle où on campe, mais plus petite, beaucoup plus petite. C'est sûrement de là que provenait la clarté !

Ils se dirigent vers la carrière envahie par les buissons et qui, de toute évidence, n'a pas été exploitée depuis longtemps. Un grand trou s'ouvre au milieu mais on aperçoit quelque chose d'autre. Qu'est-ce donc ?

Jouant des pieds et des mains à travers les bosquets, les jeunes explorateurs descendent tout au fond pour examiner de près l'objet qui les intrigue.

— C'est une lampe ! une lampe très puissante, affirme Mick. Une sorte de gros spot, comme ceux qu'on utilise dans les aéroports.

Je ne m'attendais pas à voir ça ici. Tu crois que ce sont les gitans qui se sont procuré cet instrument ? Et pourquoi font-ils des signaux à un avion qui n'atterrit pas ?

— C'est incompréhensible... Les bohémiens lui ont peut-être fait signe que c'était dangereux d'atterrir... Ou le pilote venait peut-être chercher un élément qui n'était pas prêt.

— Une véritable énigme ! En tout cas, j'ai l'impression que la famille de Mario mijote un mauvais coup. Furetons un peu.

Ils ne trouvent rien, si ce n'est un sentier tracé qui conduit à la lampe. Ils l'examinent, quand un cri retentit derrière eux. Ils se retournent et aperçoivent un homme au bord de la carrière.

— Que faites-vous ici ? demande-t-il d'une voix dure.

D'autres le rejoignent et tous scrutent François et Mick d'un air menaçant. Ces derniers remontent péniblement.

— Je vais être franc, annonce l'aîné des Cinq. On est venus camper deux ou trois jours dans la lande et, la nuit dernière, on a entendu un avion. On a vu aussi une clarté qui semblait le guider ; on est venus voir ce que c'était. Vous avez entendu le moteur de l'appareil ?

— Qu'est-ce que ça peut vous faire ? riposte

le gitan le plus proche qui n'est autre que le père de Mario. Ça n'a rien d'extraordinaire, un avion qui survole la lande.

— Vraiment ? répond Mick, incrédule. On a trouvé cette lampe. Vous savez ce que c'est ?

— Quelle lampe ? grommelle le bohémien.

— Venez y jeter un coup d'œil, suggère François d'un ton sec. Mais je ne peux pas croire que vous n'ayez pas vu la clarté hier soir.

— On ne sait pas ce que c'est que ce spot, intervient le vieillard aux cheveux gris. Nous venons toujours camper au pied de cette colline. Nous ne nous occupons ni de vous ni de personne, mais ceux qui nous cherchent finissent toujours par s'en mordre les doigts.

Les jeunes campeurs pensent immédiatement à la disparition des Barthe. Ils ne sont pas très rassurés.

— C'est bon, déclarent-ils. On s'en va.

Mario se glisse derrière les hommes, suivi de Flop, qui marche sur ses deux pattes de derrière. Le petit gitan tire son père par la manche.

— Ils sont gentils ! Ce sont mes amis... C'est grâce à eux que notre Pompon a été guéri.

Mais Castelli retire brutalement son bras.

« Pauvre gamin, songe Mick. C'est affreux d'avoir un papa aussi dur... »

L'enfant fond en larmes. Il pousse de tels

hurlements que trois femmes sortent des caravanes et arrivent en courant. L'une d'elles injurie Castelli qui répond sur le même ton. Une violente querelle s'engage entre les membres de la famille. Une vieille dame prend Mario dans ses bras et l'éloigne de son père.

— Viens, profitons de leur dispute pour filer, chuchote François à son frère.

Les deux garçons s'esquivent, pressés d'être loin de ces hommes et de leurs chiens. Mais ils n'en sont pas moins intrigués. Les gitans prétendent ne rien savoir de cette lampe, or cela semble invraisemblable : leur camp est installé à deux pas de la carrière où est placé le spot. À coup sûr, l'un d'eux l'a allumée la nuit précédente. Ils retournent voir les filles et leur racontent l'aventure.

— On devrait rentrer au club, estime Annie. Il se passe trop de choses étranges dans cette lande. Je sens que cette affaire de lumière et de gitans peut devenir dangereuse...

— On restera encore une nuit, décide l'aîné du groupe. Je veux voir si l'avion revient. Les bohémiens ne savent pas où on campe. Je suis sûr que Mario ne le leur dira pas. Il a eu beaucoup de courage de nous défendre contre son père.

— Oh ! oui ! restons ! approuve Claude.

Dagobert ne peut pas encore faire une longue marche. J'ai enlevé l'épine, mais il souffre toujours.

— Il s'en sort bien sur trois pattes ! constate Mick en regardant le chien qui sautille, la jambe bandée en l'air.

L'animal vient se faire caresser. Il aime beaucoup être soigné et cajolé.

L'après-midi, la chaleur n'incite pas à l'activité. Les jeunes campeurs restent assis près de la petite source et causent tranquillement, les pieds dans l'eau fraîche.

Au crépuscule, ils vont jeter un coup d'œil sur la vieille locomotive à demi cachée dans les ajoncs. Mick déblaie le sable et tous cherchent à actionner les leviers et les manettes mais leurs efforts sont infructueux.

— Faisons le tour du fourré d'ajoncs pour voir si la cheminée est visible de l'autre côté, suggère Claude. Oh ! Ces ronces ! Je suis couverte d'égratignures. Dag a bien raison de ne pas nous suivre.

Les buissons sont si touffus qu'ils sont obligés de couper quelques branches. Quand ils ont pratiqué une brèche, ils poussent des exclamations.

— Waouh ! fait Annie. Cette cheminée est d'une longueur !

— Elle est pleine de sable, remarque sa cousine qui se met à la déblayer pour examiner l'intérieur.

— Je ne serais pas surpris qu'on soit les seuls au monde à savoir où se trouve cette vieille locomotive, commente François. Elle est tellement enfouie sous les ajoncs...

— Vous ne commencez pas à avoir faim ? demande Mick. Si on mangeait un morceau ?

— On a encore assez de provisions pour ce soir et demain, rappelle sa sœur. Puis il faudra aller en chercher au club équestre. Vous tenez vraiment à rester dans la lande cette nuit ?

— Oui ! oui ! et oui ! martèle l'aîné des Cinq. Je veux voir si cet avion revient.

— On guettera tous cette fois, précise Claude. Ce sera très amusant. Et maintenant, allons préparer le dîner. Je veux que Dago ait une grosse portion de nourriture. Il faut qu'il récupère ses forces après sa blessure...

Le chien approuve pleinement l'idée de sa maîtresse ! Il s'obstine même à courir sur trois pattes, bien qu'il soit tout à fait guéri. Dagobert, le tricheur !

CHAPITRE 15

Une nuit mouvementée

Les gitans ne s'approchent pas de la carrière et Mario lui-même ne se montre pas. La soirée est aussi belle que la journée et presque aussi douce.

— Quel temps pour avril ! s'extasie Mick. Les bois doivent être pleins de muguet.

Ils sont allongés sur le sable et contemplent les étoiles qui ont un éclat extraordinaire. Dagobert creuse le sol avec frénésie.

— Sa patte va beaucoup mieux, commente Claude. Mais de temps en temps il la tient en l'air.

— Il veut que tu le plaignes et le câlines, réplique François. Il aime qu'on le traite comme un bébé.

Au bout d'un moment, Annie bâille.

— Il n'est pas bien tard, mais j'ai déjà sommeil, déclare-t-elle.

L'un après l'autre, ils font leur toilette à la source et s'essuient tant bien que mal avec leur unique serviette. Puis ils se couchent sans prendre la peine d'étendre des bâches. Chauffé par le soleil, le sable n'est pas du tout humide.

— Qui sait si l'avion passera cette nuit ? murmure l'aîné du groupe à son frère. Oh ! zut ! un moustique ! J'espère qu'il ne va pas me bourdonner dans les oreilles toute la nuit !

Il s'endort quelques minutes plus tard. Mais Mick, incommodé par le bruit de l'insecte, ne peut fermer l'œil. Après avoir contemplé un moment les étoiles, il se lève avec précaution pour ne pas réveiller ses compagnons.

« Je vais voir si la lampe est allumée près du camp des gitans », décide-t-il.

Il sort de la carrière et étouffe un cri.

« Oui, elle est allumée ! Je ne peux pas la voir, mais elle répand une clarté très vive qui doit être visible du haut du ciel. Les bohémiens attendent sans doute l'avion. »

Il tend l'oreille... Un faible vrombissement résonne à l'est. L'avion probablement. Atterrira-t-il cette fois ?... Qui est aux commandes de l'appareil ?

Le jeune garçon court réveiller les autres. Dago se dresse d'un bond. Prêt à affronter tous les dangers, il agite la queue avec énergie. Annie et Claude partagent son émotion.

— La lueur ! Le spot ! Ils sont de nouveau allumés, halète Mick. J'entends le même bruit de moteur qu'hier. Oh ! c'est excitant ! Au fait, Dago ne va pas aboyer pour dénoncer notre présence, hein ?

— Non, assure sa petite maîtresse. Je lui ai recommandé de ne pas faire de bruit. Vous entendez, l'avion approche !

En effet, le ronflement annonce que l'appareil est tout près. François donne un coup de coude à son frère.

— Tu as vu ? il survole le campement des gitans !

— Mais il est tout petit ! constate Mick quand il l'a aperçu. Plus petit que je ne le croyais hier soir. Regardez... il va se poser !

Mais non, l'engin vole simplement très bas et il se met à décrire un cercle comme la veille. Puis il monte un peu et redescend presque au-dessus de la tête des enfants.

Soudain quelque chose tombe tout près d'eux... un objet qui rebondit et s'immobilise. Sa chute fait un bruit sourd et les quatre campeurs sursautent. Dagobert grogne entre ses dents.

Boum ! Un autre projectile. Boum ! Boum ! Boum ! Annie ne peut retenir un cri.

— Ah ! Qu'est-ce qu'ils font ? Est-ce nous qu'ils visent ?

Boum ! Boum ! L'aîné du groupe baisse la tête ; il saisit la main de sa sœur et l'entraîne dans la carrière en incitant les autres à le suivre :

— Vite, descendez ! Cachez-vous dans les grottes ! On risque d'être touchés !

Ils décampent à toute allure. Il était temps ; l'avion tourne en rond et procède à un véritable bombardement. Plusieurs projectiles tombent dans la sablière. L'un d'eux s'abat devant le nez de Dagobert qui pousse un hurlement de terreur et se hâte de rejoindre sa maîtresse.

Bientôt, tous sont en sécurité dans les petites cavernes creusées dans les parois de la carrière. L'avion décrit un autre cercle accompagné d'une nouvelle dégringolade d'objets lourds et bruyants. Les jeunes vacanciers se félicitent d'être à l'abri.

— Mais que peut bien lâcher le pilote ? Et pourquoi ? interroge Mick. Ce ne sont pas des bombes, en tout cas, puisque rien n'explose... Quelle aventure bizarre !

— J'ai l'impression d'être en train de rêver ! ou plutôt de cauchemarder... affirme Annie d'une voix étranglée. Non... même un rêve ne serait pas aussi incroyable. Nous voilà cachés dans des grottes, au beau milieu de la Lande du Mystère, en pleine nuit, et un avion nous arrose d'obus qui n'éclatent pas. C'est de la folie !

— Hé ! lance Claude. Je crois qu'il s'en va. Il ne jette plus rien. Maintenant il remonte... Il s'éloigne. Le bruit du moteur est moins fort. Ouf ! tout à l'heure, j'ai cru qu'il allait me décapiter tant il volait bas !

— J'ai eu la même impression, renchérit sa cousine qui commence à se rassurer. On peut sortir de notre trou, maintenant ?

— Oui, acquiesce François en rampant hors de la grotte. Venez ! Je veux voir ce qu'il a jeté.

Plus surexcités les uns que les autres, ils se mettent à la recherche des objets tombés du ciel. La nuit est si claire qu'ils n'ont pas besoin de lampes de poche. L'aîné du groupe est le premier à ramasser quelque chose. C'est un paquet plat, cousu dans une toile.

— Pas de nom, rien, commente-t-il en l'examinant. C'est très étrange. À votre avis, il contient quoi ?

— Sans doute des boîtes de chocolat en poudre pour le petit déjeuner ! ironise Claude.

— Très drôle ! répond son cousin en prenant un couteau pour couper les fils. C'est peut-être de la contrebande... Oui, bien sûr. L'avion arrive certainement d'un pays étranger. Il introduit en France des marchandises illégales en les lâchant en pleine nuit sur cette lande déserte. Les bohémiens sont complices de la fraude : ils sont chargés de ramasser les paquets et de les cacher dans leurs caravanes pour les livrer quelque part. C'est très malin !

— Tu crois vraiment que c'est l'explication ? interroge Annie. Que peuvent bien contenir ces colis ?...

— Voilà, j'ai tranché tous les liens.

Les autres se rassemblent autour de François. Mick prend sa lampe électrique dans sa poche et l'allume. Son frère arrache la toile. Il trouve ensuite un épais papier marron qu'il déchire. Puis vient un carton attaché avec de la ficelle. Le tout forme un solide emballage.

— Plus vite ! presse Claude.

À l'intérieur du carton, les jeunes aventuriers découvrent de minces feuilles de papier... des douzaines et des douzaines.

— Approche la lampe !

Il y a un silence et tous se penchent pour mieux voir.

— Pas possible ! murmure Annie, sidérée. Des billets de banque...

— Il y en a des dizaines et des dizaines dans ce paquet, souligne sa cousine.

Tous les quatre restent bouche bée tandis que François extrait la liasse du ballot.

— Et n'oubliez pas que l'avion a largué plein de projectiles.

— Il y a donc une véritable fortune tout autour de nous, dans la carrière et dans la lande, conclut Mick. Vous êtes sûrs qu'on ne rêve pas ?

— Drôle de rêve ! Un rêve qui vaudrait un bon pactole... réplique son frère. Je me demande s'il faut ramasser ces colis.

— Oui ! affirme Claude. Je commence à comprendre... Il doit s'agir de faux billets. Les contrebandiers viennent sans doute d'Angleterre, c'est pourquoi ils se déplacent en avion. Ils fabriquent clandestinement chez eux ces fausses coupures et les jettent par colis dans un coin solitaire de la lande. Les gitans sont à proximité ; ils allument la lampe et ramassent ce qui tombe !

— Ensuite, poursuit Mick, ils cachent le butin dans leurs caravanes et le portent à la per-

sonne qui les a commandés, probablement un homme d'affaires véreux, un escroc qui les paie pour leur service. C'est astucieux !

— Je comprends mieux pourquoi les gitans ne voulaient pas qu'on approche de leur campement, soupire Annie.

— Écoutez, rassemblons tous ces ballots et filons au club hippique, décide François en ramassant celui qui est à ses pieds. Il n'y a pas une minute à perdre ! Les bohémiens vont se mettre à notre recherche, c'est certain ! Et s'ils constatent qu'on a percé leur secret, ils voudront se venger... Il faut partir avant leur arrivée !

Tous les quatre se mettent à la recherche des paquets. Ils en trouvent environ soixante ; c'est un lourd fardeau.

— Impossible de les porter, constate Claude. Où les cacher ? Dans une de ces grottes ?

— On pourrait les envelopper dans les sacs de couchage et faire des balluchons, suggère la benjamine du groupe.

— Bonne idée, juge son frère. Essayons. Je crois qu'on a réuni tous les paquets. Allez chercher les duvets.

La trouvaille de la fillette est excellente. Les jeunes aventuriers forment deux gros ballots. Chacun s'empare de l'extrémité d'un sac.

— On suivra la voie ferrée, décrète Mick. Laissons nos affaires ici. On reviendra les récupérer. Il faut partir avant l'arrivée des gitans.

Dagobert se met soudain à aboyer.

— Oh ! s'écrie Claude. Les voilà ! Partons vite ! J'entends leurs voix... Dépêchez-vous !

CHAPITRE 16

Un brouillard à couper au couteau

Oui, les gitans arrivent !

Leurs chiens les accompagnent en hurlant. Les quatre vacanciers se mettent à courir, Dagobert sur leurs talons.

— Ces hommes ne savent sans doute pas qu'on campe dans la carrière ! analyse Mick. Ils viennent peut-être simplement ramasser les paquets... et, pendant qu'ils les chercheront, on prendra de l'avance. Dépêchons-nous !

Ils atteignent le fourré d'ajoncs d'où part la voie ferrée, près de la vieille locomotive. Les bergers allemands les entendent et aboient. Les bohémiens s'arrêtent pour voir ce qui les effraie. Ils aperçoivent des ombres au loin. Un des hommes rugit :

— Hé là-bas... arrêtez-vous ! Qui êtes-vous ? Arrêtez-vous, je vous dis !

Mais les Cinq n'obéissent pas. Ils avancent entre les rails. Les filles ont allumé leurs lampes de poche et elles éclairent le sol pour éviter de trébucher sous le poids des ballots.

— Vite ! Plus vite ! souffle Annie... Mais ces sacs sont tellement lourds !

— Ils nous rattrapent ! halète soudain François.

Claude se retourne.

— Je ne vois personne, répond-elle. Tout est très étrange. Arrêtez-vous... Il se passe quelque chose d'extraordinaire !

Ses compagnons cessent d'avancer. Jusque-là ils ont gardé les yeux fixés à terre pour éviter les obstacles. Étonnés par les paroles de leur cousine, ils lèvent la tête et font volte-face.

— Incroyable ! murmure Mick. Le brouillard ! On ne voit même plus les étoiles. Comme il fait sombre !

— Oh ! non ! gémit sa sœur, horrifiée. Pas ce terrible brouillard dont nous a parlé le vieux Baudry, cette brume qui envahit la lande !

Les garçons contemplent avec étonnement les vapeurs qui tourbillonnent autour d'eux.

— Ça vient de la mer, commente François. Vous sentez l'odeur du sel ? Ça apparaît brusquement, comme le maréchal-ferrant nous l'a dit, et ça devient de plus en plus épais.

— Heureusement, on a le chemin de fer pour se guider, remarque Claude. Qu'est-ce qu'on doit faire ? Continuer ?

L'aîné des Cinq prend quelques instants pour réfléchir.

— Les gitans ne nous suivront pas dans ce brouillard, affirme-t-il. J'ai bien envie de cacher ces billets quelque part et d'aller avertir la police au plus vite. Grâce aux rails, on ne risque pas de s'égarer. Mais il ne faut pas s'en écarter, sans ça on se perdra complètement.

— Oui, c'est la meilleure solution, approuve sa sœur qui ne demande qu'à se débarrasser de son fardeau. Mais où les mettre ? Dans la carrière ? On n'y arrivera jamais dans ces ténèbres.

— Non. J'ai trouvé une excellente cachette, poursuit François en baissant la voix. La vieille locomotive qui a déraillé ! Si on fourre ces paquets dans la longue cheminée et si on bouche le haut avec du sable, personne ne les découvrira.

— Tu es un génie ! complimente Mick. Les gitans croiront qu'on a emporté les billets et, s'ils osent affronter le brouillard, ils se mettront à notre poursuite, mais on sera déjà tout près du centre d'équitation.

Les filles approuvent aussi l'idée du jeune garçon.

— Je n'aurais jamais pensé à cette vieille machine, avoue Claude.

— Est-ce qu'il faut marcher loin ? questionne Annie. Je suis épuisée. Je n'ai plus de forces dans les bras. Ces baluchons sont trop lourds...

— Dans ce cas, il vaut mieux que tu attendes ici, recommande son frère aîné. Assieds-toi sur les rails. Ce ne sera pas long.

— Oh ! non ! s'émeut la fillette. Ne me laissez pas toute seule !

Elle commence à sangloter.

— Je vais rester avec toi, propose sa cousine. Vous deux, les garçons, suivez la voie ferrée jusqu'à la locomotive, cachez les billets dans la cheminée et revenez vite.

— D'accord ! approuve Mick. Gardez Dagobert avec vous, c'est plus sûr.

Les deux frères partent ensemble avec la lampe électrique d'Annie. Claude garde la sienne. Le chien se blottit contre elle. Ce brouillard n'est pas du tout de son goût.

— Reste bien près de nous et tiens-nous chaud, mon Dago. Cette humidité me glace jusqu'aux os.

Tout en marchant, François guette les moindres bruits. Si les gitans étaient à un mètre de lui, il ne pourrait les apercevoir dans le brouillard qui devient de plus en plus épais.

« Le vieux Baudry affirme que la brume vous empoigne ; je comprends maintenant ce qu'il veut dire, pense-t-il. J'ai l'impression que des doigts mouillés effleurent mon visage, mes mains et mes jambes ! »

Mick lui donne un coup de coude.

— Eh ! Les rails s'arrêtent ici. La locomotive doit être tout près.

Ils avancent prudemment. Le fourré d'ajoncs est invisible, mais se fait sentir. Ses épines s'enfoncent dans les mollets des deux aventuriers.

— Allume ta lampe ! chuchote l'aîné. On y est. Voici la vieille traction. Maintenant faisons le tour des buissons et on trouvera la cheminée.

— Ça y est, annonce Mick quelques secondes plus tard. Mettons-nous vite au travail et fourrons ces paquets à l'intérieur. Pourvu qu'ils rentrent tous !

Cette besogne leur demande une dizaine de minutes. L'un après l'autre, les petits ballots s'enfoncent dans le trou métallique.

— C'est tout, souffle enfin François. Maintenant du sable. Aïe ! Que ces épines sont pointues !

— La cheminée est presque pleine jusqu'en haut, constate son frère. Il n'y a pratiquement plus de place pour le sable. Juste quelques poignées pour cacher ce qu'elle contient. Voilà, c'est fait. Maintenant des branches d'ajoncs par-dessus. Aïe ! j'ai les mains en sang.

— Tu entends les bohémiens ?

— Non. Je ne crois pas qu'ils osent aller très loin dans cette brume.

— Ils sont peut-être dans la carrière. Et ils attendront que le temps s'éclaircisse. Tant mieux ! En tout cas, ils n'auront pas les billets.

— Viens, chuchote François, et il fait le tour du fourré. C'est là qu'on a quitté les rails. Prends-moi le bras. Il ne faut pas qu'on se sépare. Je ne pensais pas que le brouillard pouvait être si opaque. La lampe électrique ne sert à rien.

Ils font quelques pas à tâtons, mais leurs pieds ne rencontrent pas la voie ferrée.

— C'est sans doute un peu plus loin, estime François. Non... par ici.

Le chemin de fer reste introuvable.

Les garçons sont pris de panique. De quel côté se diriger ? Se sont-ils égarés ? Ils se mettent à quatre pattes pour tâter le sol.

— J'en ai un ! Non, c'est un morceau de bois. Surtout ne t'éloigne pas, Mick !

Après dix minutes de recherches, ils s'asseyent par terre, la lampe de poche entre eux.

— On s'est perdus en quittant les ajoncs, conclut l'aîné des Cinq. Il n'y a rien à faire, sauf attendre que le brouillard se dissipe...

— Et les filles ? demande l'autre, anxieux. Essayons encore un peu. On dirait qu'il fait un peu moins noir, on aura peut-être plus de chance. Si la brume se lève un petit peu, on pourra s'orienter.

Ils recommencent à marcher ; la clarté de leur lampe paraît un brin plus efficace. Quand leurs pieds heurtent un obstacle, ils se baissent mais ils ne découvrent jamais les rails.

— Une seule solution : crier ! décrète enfin François.

Et ils appellent très fort :

— Claude ! Annie ! Vous êtes où ?

Ils ne reçoivent aucune réponse.

— Claude ! s'égosille le frère cadet. Dagobert !

Ils croient entendre un aboiement lointain.

— C'était Dago ! exulte François. Par là-bas !

Ils parcourent quelques mètres et hurlent de nouveau. Cette fois, c'est le silence complet.

Aucun son ne traverse ce brouillard terrible qui les entoure.

— Je sens qu'on va marcher toute la nuit sans résultat, se désole l'aîné des Cinq. Et si la brume ne s'éclaircit pas demain ? Rappelle-toi ce qu'a dit Baudry : quelquefois elle dure plusieurs jours.

— Super... ironise Mick. Je ne crois pas qu'on ait besoin de s'inquiéter pour Claude et Annie. Dago est avec elles et il pourra facilement les ramener au club. Les chiens ne craignent pas le brouillard.

François se sent un peu rassuré.

— Mais oui ! souffle-t-il. J'avais oublié Dag ! Eh bien... si elles ne risquent rien, asseyons-nous et reposons-nous. Je suis mort de fatigue.

— Tu vois cet épais buisson ? Glissons-nous au milieu pour nous abriter de l'humidité. Heureusement, ce n'est pas un ajonc !

— J'espère que les filles ne nous attendront pas trop longtemps et qu'elles auront l'idée de se diriger vers le centre équestre. Je me demande où elles sont maintenant.

En fait, les deux cousines ne sont plus à l'endroit où François et Mick les ont laissées. Après une longue attente, l'inquiétude les a saisies.

— Il est arrivé quelque chose aux garçons, déduit Claude. Allons chercher du secours. On n'a qu'à suivre la voie ferrée ; Dago connaît le chemin. Tu n'es pas trop exténuée ?

— Non, ça va, assure Annie en se levant. Viens. Ce brouillard est effrayant. Ne nous éloignons pas des rails. Dago lui-même ne pourrait pas retrouver le club d'équitation.

Elles se mettent en route. Les filles se suivent, et Dagobert ferme la marche en se demandant ce que signifie cette promenade nocturne. Au bout d'un moment, sa maîtresse, qui tient la lampe de poche, s'arrête, perplexe.

— La voie s'interrompt ici, déclare-t-elle. C'est bizarre... Je ne me rappelle pas qu'elle était en si mauvais état. Je ne peux plus voir dans quelle direction il faut aller !

— Oh ! j'ai compris ! Tu sais ce qu'on a fait ? On a remonté le chemin de fer dans le mauvais sens ! On s'est éloignées de chez les Girard ! Qu'on est bêtes ! Regarde, c'est la fin de la voie. On doit être à deux pas de la vieille locomotive et de la carrière.

— Zut ! lâche Claude, désespérée. On est vraiment nulles. Mais dans un brouillard pareil, c'est impossible de se repérer.

— Ce qui m'étonne, reprend la fillette, c'est que je ne vois pas les garçons et je ne les entends pas non plus. Je pense qu'on ferait mieux d'aller à la carrière et d'attendre jusqu'au jour. J'ai froid et je suis fatiguée. On pourra s'abriter dans une grotte.

— Si tu veux, acquiesce sa cousine complètement découragée. Mais surtout, faisons bien attention de ne plus nous perdre.

CHAPITRE 17

Danger !

Les deux cousines et Dagobert marchent avec précaution en cherchant la voie ferrée qui conduit à la carrière. Par chance, elles la retrouvent sans difficulté à quelques mètres du tronçon arraché. Elles n'ont qu'à suivre le chemin de fer.

— Ouf, souffle Claude. On ne risque plus rien. On va bientôt trouver une grotte. J'espère qu'il y fera plus chaud qu'ici. Brrr ! Ce brouillard est glacial.

— Il est tombé si brusquement, souligne Annie en promenant autour d'elle le rayon de sa lampe de poche. J'ai cru que je rêvais quand...

Elle s'interrompt brusquement. Dagobert grogne.

— Qu'est-ce qu'il y a, Dago ?

L'animal est immobile, les poils hérissés, la tête levée.

— Je n'entends rien, et toi ? chuchote sa maîtresse.

Elles écoutent. Non, aucun son ne leur parvient. Le chien a sans doute été alerté par un lapin ou un hérisson. Elles pénètrent dans la sablière. Dagobert les précède et disparaît à leurs yeux. Soudain il hurle... Un bruit sourd retentit et les aboiements se taisent.

— Dag ! s'écrie Claude. Où es-tu ? Viens ici !

Mais son fidèle compagnon n'obéit pas. Le sable crisse comme si l'on traînait un lourd fardeau. L'adolescente s'élance.

— Dago ! Oh ! Dago, où es-tu ? Tu es blessé ?

Un épais rideau de brume flotte devant ses yeux et elle brandit les poings, furieuse de ne rien voir.

Subitement, quelqu'un saisit ses bras par-derrière et une voix rauque retentit :

— Suis-moi ! On vous avait avertis de ne pas fouiner dans cette lande !

La jeune fille se débat. Moins inquiète pour elle que pour son chien, elle demande :

— Où est mon chien ? Qu'est-ce que vous lui avez fait ?

— Je l'ai frappé sur la tête !

Claude est stupéfaite. Elle a reconnu la voix : c'est celle du père de Mario !

— Il n'est pas mort, poursuit Castelli, mais il ne bougera pas avant un long moment. Je vous le rendrai si vous restez tranquille.

Mais la maîtresse de Dagobert refuse de se calmer. Elle se débat à coups de pied et de poing. C'est inutile. Une poigne de fer la retient.

Soudain, elle entend un hurlement strident. C'est Annie ! Sa cousine a donc été capturée, elle aussi. Toutes deux sont traînées à l'extérieur de la carrière.

— Ton chien ne risque rien, répète Castelli pour faire taire son otage. Mais si tu continues à remuer comme ça, il recevra un autre coup sur la tête. C'est compris ?

La jeune fille cesse de s'agiter. Elle a l'impression de faire un très long trajet sur la lande ; en réalité, une courte distance sépare la sablière du campement des gitans.

« Quelle nuit ! pense Annie, désespérée. Les garçons disparus. Dagobert est blessé... et nous voilà prisonnières... Et cet horrible brouillard ! »

Il est moins dense aux alentours du camp des bohémiens, protégé par la colline. Claude et sa cousine aperçoivent quelques lanternes. Des hommes semblent attendre. Sans en être sûre, la benjamine des Cinq croit apercevoir Mario et Flop derrière eux.

« Si seulement je pouvais parler à Mario, pense-t-elle. Il sait peut-être si Dago est grièvement blessé... »

Elles sont emmenées près d'une caravane et obligées de s'asseoir. Un des gitans pousse alors un cri de surprise.

— Mais ce ne sont pas les deux gars qu'on a vus. C'est un gamin moins grand que les autres et une fille.

— On est toutes les deux des filles ! corrige Annie dans l'espoir que leurs ravisseurs auront plus de ménagements pour Claude s'ils savent qu'elle n'est pas un garçon.

Cette dernière la foudroie du regard, mais au fond peu importe. Elles se trouvent dans une situation dramatique. Ces hommes paraissent capables de tout.

— Où sont vos copains ? Deux jeunes types ? interroge Castelli.

— Aucune idée, réplique la maîtresse de Dagobert. Ils se sont sans doute perdus dans le brouillard.

— On rentrait tous les quatre au centre équestre, explique sa cousine. Et là... on a été

séparés... Alors Claude... je veux dire Claudine et moi, on est retournées dans la carrière.

— Vous avez entendu l'avion ?

— Bien sûr !

— Vous avez vu s'il larguait quelque chose ?

— Non. On n'a rien vu. On a seulement entendu.

— Vous avez ramassé ce que l'avion a laissé tomber ? questionne le père de Mario si brusquement qu'Annie sursaute.

Que répondre à cette question ?

— Oui ! avoue-t-elle. On a ramassé quelques paquets assez bizarres. Qu'est-ce qu'ils contenaient ?

— Ça ne te regarde pas, tranche le gitan. Qu'avez-vous fait de ces paquets ?

Claude regarde sa cousine avec inquiétude. Sûrement elle ne trahira pas leur secret.

— Je n'en ai rien fait, déclare la benjamine des Cinq de sa voix la plus innocente.

— Tu mens ! rugit le bohémien. Je répète : qu'avez-vous fait de ces ballots ?

La fillette reste muette, effrayée par la violence de son ravisseur.

— Réponds ! hurle ce dernier.

Et il sort un couteau de sa poche. Il approche la lame de la gorge de son otage. Annie est épouvantée. Elle émet un faible gémissement, puis articule :

— Les garçons ont dit qu'ils cacheraient les colis. Ils sont partis dans le brouillard et ils ne sont pas revenus. Alors, Claude et moi, on est retournées là où vous nous avez capturées.

Castelli fait un pas en arrière et range son arme. Il consulte ses acolytes à voix basse. Puis il se tourne vers les filles.

— Où sont cachés les paquets ?

— On n'en a pas la moindre idée, répond Claude froidement. On ne les a pas suivis. On n'a pas vu ce qu'ils en faisaient.

— Vous croyez qu'ils les ont encore ?

— Allez-le-leur demander ! réplique l'adolescente. On ne les a plus vus depuis qu'ils nous ont quittées. On ne sait pas ce qu'ils sont devenus, ni eux ni les ballots.

— Ils se sont probablement perdus dans la lande, intervient le vieux bohémien aux cheveux gris. Avec les colis ! Demain nous les chercherons. Ils ne pourront pas retrouver leur chemin. Nous les ramènerons ici. Pour l'instant, emmenez ces filles. Mettez-les dans la grotte et attachez-les.

— Où est mon chien ! hurle Claude. Rendez-moi mon chien !

— Vous ne nous avez pas aidés, riposte le

vieillard sèchement. On vous interrogera de nouveau demain... et si vous êtes plus dociles, toi, tu auras ton chien.

Deux hommes saisissent les cousines par le bras et les entraînent vers la colline. L'un d'eux tient une lanterne allumée. Ils s'engagent dans des passages souterrains. Le trajet est long. Il y a sous la colline un véritable labyrinthe de couloirs qui s'entrecroisent. Annie se demande comment les gitans y retrouvent leur chemin.

Ils arrivent enfin à une caverne au sol sablonneux. Un gros poteau de bois s'élève dans un coin. Des cordes en pendent. Les filles sont paniquées. On ne va quand même pas les attacher !

Sans ménagement, leurs geôliers les font asseoir sur le sol, dos au poteau, les ligotent plusieurs fois à hauteur de la ceinture, et font des dizaines de nœuds autour des poignets.

— Voilà ! ricanent les gitans. Demain, vous vous rappellerez où sont les paquets !

— Je veux voir mon chien ! insiste Claude, mais ils se mettent à rire encore plus fort et les laissent seules.

La chaleur est suffocante dans ce souterrain. Épuisée, Annie s'endort presque aussitôt, malgré sa position inconfortable. Sa cousine rumine de sombres pensées. Dago... qu'a-t-on fait de

lui ? Est-il blessé ? Souffre-t-il ? Elle ne peut retenir ses larmes.

Elle se débat dans ses liens mais les cordes sont très serrées et les nœuds inaccessibles. Soudain elle croit entendre un bruit. Un de leurs tortionnaires reviendrait-il les questionner ? Oh ! si seulement Dagobert était là !

— *Atchoum !... Atchoum !...*

« Ça alors ! Ce doit être Mario », pense la jeune fille avec un élan d'affection pour le petit gitan.

— Mario ? chuchote-t-elle.

Une tête ébouriffée paraît, puis un corps menu. Le garçonnet rampe à quatre pattes. Quand il est dans la grotte, il se redresse et s'approche des deux otages.

— Comment va Dago ? demande anxieusement Claude.

— Il ne risque rien, assure l'enfant. Mais il a reçu un coup et sa tête saigne. Je l'ai lavée. Il est attaché, lui aussi, et ça ne lui plaît pas du tout.

— Écoute... Va chercher Dagobert et ramène-le ici. Apporte-moi aussi un couteau pour couper ces cordes. Tu veux bien ?

— Je... je ne sais pas, répond Mario, effrayé. Mon père serait furieux.

— Mario, si tu acceptes de m'aider, je te

donnerai un cadeau. Qu'est-ce qui te ferait plaisir ?

— Je voudrais un vélo, murmure le petit.

— C'est d'accord ! promet Claude. Mais va chercher Dago et un couteau. Fais attention de ne pas être vu... Pense à ta bicyclette !

Une lueur brille dans les yeux du bohémien. Il hoche la tête et disparaît aussi silencieusement qu'il est venu...

Claude attend... Ramènera-t-il son cher Dagobert ou sera-t-il surpris par son père ?

CHAPITRE 18

Le stratagème de Claude

Assise dans l'obscurité, Claude écoute la respiration paisible de sa cousine et attend le retour de Mario. Comme il lui tarde de revoir Dagobert ! Sa blessure à la tête est-elle très grave ?

Une idée lui vient à l'esprit. Si le chien n'est pas trop mal en point, elle l'enverra au centre équestre avec un message attaché à son collier. Il a déjà rempli des missions de ce genre et s'en est toujours bien tiré. L'animal retrouvera facilement son chemin, même dans le labyrinthe sous la colline.

Un reniflement annonce l'approche du fils de Castelli. Le petit gitan se glisse dans la prison. Claude constate qu'il est seul. Son cœur se serre.

— Je n'ai pas osé prendre Dagobert, explique l'enfant. Mon père l'a attaché tout près de lui et il se serait réveillé. Mais je t'ai apporté un couteau.

— Merci, dit l'adolescente. Écoute. Tu vas utiliser ce canif pour couper les liens qui entourent mes poignets. Fais bien attention à la lame. Il ne faut pas que tu me tronçonnes les doigts !

— J'ai peur, avoue le bohémien.

— Pense au vélo, l'encourage la jeune fille. Rouge peut-être, avec un guidon argenté !

Cette image décide Mario. Il s'accroupit près de Claude et, tout doucement, commence à scier la corde qui retient ses mains.

— Bravo ! le félicite son amie quand il a achevé sa besogne. Que ces nœuds étaient serrés ! J'ai des marques rouges sur les deux bras...

Elle range le couteau dans la poche de son jean.

— Tu as encore besoin de moi ? questionne le petit gitan.

— Oui ! Je vais écrire un message, explique l'adolescente en sortant de sa poche un crayon et un calepin. Tu l'attacheras au collier de Dagobert et tu remettras mon chien en liberté. C'est d'accord ? Il retournera en courant chez M. et Mme Girard avec le billet, et la police viendra nous sauver, Annie et moi. Et toi, tu auras le plus beau vélo du monde.

Elle se met à griffonner la missive, mais à peine a-t-elle écrit quelques mots qu'elle entend du bruit dans le passage.

— C'est mon père ! murmure Mario, effrayé. Je dois partir ! Tu sauras retrouver ton chemin pour sortir d'ici ?

— Je ne sais pas, j'ai peur que non, chuchote la jeune fille, prise de panique.

— Je te laisserai des signes de piste. Je vais me glisser dans le souterrain à côté et j'irai détacher Dago.

Il s'esquive juste à temps. La clarté d'une lanterne brille dans la caverne et Claude aperçoit le visage sombre de Castelli. Elle cache ses mains derrière son dos, comme si ses poignets étaient toujours attachés.

— Tu as vu Mario ? interroge-t-il durement. Je ne l'ai pas trouvé quand je me suis réveillé.

— Mario ? Il n'est pas ici, assure l'otage en feignant la surprise.

Soudain, l'homme s'aperçoit que les cordes qu'il a enroulées autour des poignets de la prisonnière gisent au sol.

— Qu'est-ce que ça veut dire ? vocifère-t-il. Qui a coupé tes liens ?

L'adolescente blêmit.

— Personne... bégaie-t-elle. Je... j'ai réussi à effriter la corde en la frottant contre le poteau...

Le bohémien marque un silence.

— Tu as cru que tu pourrais t'échapper ? reprend-il avec un sourire narquois. C'est inutile d'essayer : cette caverne se situe au centre de la colline de la lande. Tu ne réussirais pas à trouver le chemin de la sortie.

Tout à coup, son regard tombe sur le calepin et le crayon que Claude a tenté de dissimuler sous ses jambes.

— Qu'est-ce que c'est que ça ? demande-t-il aussitôt, et il attrape le bloc-notes. Ah ! tu demandais de l'aide ! Et comment pourrais-tu l'obtenir, j'aimerais bien le savoir. Qui devait porter cette lettre ? Mario ?

— Non, assure la jeune fille sans mentir.

Le gitan fronce les sourcils et regarde de nouveau le message.

— Écoute-moi bien, ordonne-t-il. Tu vas écrire une autre lettre pour les deux garçons. Je vais te la dicter.

— Non !

— Si ! Tu n'as pas le choix. Je ne veux pas faire de mal à tes copains. Je veux seulement reprendre les paquets qu'ils ont cachés. Tu veux que ton chien te soit rendu sain et sauf ?

— Oh ! oui ! s'écrie Claude, un sanglot dans la gorge.

— Eh bien, si tu refuses de m'obéir, tu ne le reverras pas ! menace Castelli. Dépêche-toi de prendre ton crayon et d'écrire.

L'adolescente s'exécute.

— Je vais te dicter, déclare le bohémien.

— Attendez ! Comment ferez-vous passer cette lettre à François et Mick ? Vous ne savez pas où ils sont. Vous ne pourrez pas les trouver si le brouillard ne se dissipe pas.

L'homme se gratte la tête et réfléchit.

— Le seul moyen, c'est d'attacher ce billet au cou de mon chien et de l'envoyer à la recherche de mes cousins, reprend son otage. Si vous l'amenez ici, je lui donnerai des instructions. Il accomplit toujours les missions que je lui confie.

— Il portera le message à la personne que tu lui indiqueras ? questionne Castelli, les yeux brillants. Alors voilà ce qu'il faut écrire : « Nous sommes prisonnières. Suivez le chien ; il vous conduira à nous et vous pourrez nous libérer. » Signe de ton nom.

— Je m'appelle Claudine. Allez chercher mon chien pendant que j'écris le billet.

Le père de Mario fait demi-tour et sort. La jeune fille le suit des yeux.

« Il se trompe bien en imaginant que je trahirais les garçons et que je les ferais venir ici pour être questionnés et malmenés ! pense-t-elle. Je vais lui jouer un bon tour. J'enverrai Dago à Charlie... Elle avertira M. Girard. Je suis sûre qu'il alertera la police ! »

Dix minutes plus tard, le geôlier revient avec Dagobert. Un Dagobert triste et morne, qui a une blessure à la tête. Sa maîtresse le prend dans ses bras et fond en larmes.

— Tu as mal, mon chéri ? murmure-t-elle. Je t'emmènerai chez le vétérinaire le plus tôt possible.

— Vous serez libres dès que les deux garçons seront arrivés et qu'ils nous auront dit où sont cachés les paquets, promet le gitan.

Le chien donne de grands coups de langue à Claude et remue la queue. Il ne comprend pas ce qui se passe. Pourquoi se trouve-t-on dans ce souterrain ? Enfin, au moins, il n'est plus seul. Il se couche aux pieds de son amie et pose la tête sur ses genoux.

— Maintenant, écris ! exige Castelli. Et attache le billet au collier de cette bête, de sorte qu'on le voie facilement.

La jeune prisonnière griffonne sur une page de son bloc. Elle la tend au bohémien qui la lit à voix haute.

Nous sommes prisonnières. Suivez le chien, il vous conduira à nous et vous pourrez nous libérer. Claudine.

— Claudine ? Tu t'appelles vraiment comme ça ? Tu ne cherches pas à me faire un mauvais coup, hein ?

L'adolescente hoche la tête. Pour une fois, elle est contente de se servir de son prénom de fille. Elle attache le papier bien en vue au collier de Dagobert. Puis elle serre le chien dans ses bras et lui parle gravement.

— Va chercher Charlie, Dago ! Charlie ! Tu comprends, Dagobert ? Porte cette lettre à Charlie.

Elle tapote la feuille.

— Allez, Dag ! insiste-t-elle. Ne reste pas ici. Va à la recherche de Charlie.

— Dis-lui aussi le nom de l'autre garçon, intervient Castelli.

— Oh ! non ! je ne veux pas l'embrouiller. Charlie, Charlie, Charlie. Compris ? *Charlie* !

— Ouah ! ouah ! répond l'animal pour montrer qu'il a compris. Sa maîtresse le pousse vers l'entrée du souterrain.

— Pars ! ordonne-t-elle. Dépêche-toi !

D'un regard, son fidèle compagnon lui

reproche de le renvoyer si vite, mais, conscient que l'enjeu est de taille, il s'éloigne, le message à son collier.

— J'amènerai les garçons ici dès qu'ils arriveront avec ton chien, affirme Castelli.

Et il sort.

Claude appelle Mario, mais ne reçoit pas de réponse. Le petit garçon a sans doute rejoint les caravanes.

Ce n'est qu'à ce moment qu'Annie ouvre les yeux. Se rappelant qu'elle est captive des gitans, elle pousse un cri d'effroi. Sa cousine allume sa lampe électrique et lui explique ce qui s'est passé.

— Je n'arrive pas à croire que j'ai dormi pendant que tu parlais avec Castelli ! Tu aurais dû me réveiller. Oh ! ces nœuds ! Qu'ils me font mal !

— J'ai un couteau. Mario me l'a donné. Tu veux que je coupe tes cordes ?

— Oh ! oui !

L'adolescente coupe d'abord ses propres cordes, celles qui la retiennent attachée au poteau. Puis elle libère Annie. Quel soulagement de s'allonger librement !

— Si on entend quelqu'un, on enroulera les liens autour de nos tailles, décide la fillette.

Cette fois, toutes deux s'endorment. Le sol

sablonneux est assez doux. Personne ne trouble leur sommeil.

Et les garçons ? Ils somnolent, mais de temps en temps le froid les réveille. Heureusement, le sort de Claude et d'Annie ne les inquiète pas du tout.

« Elles ont probablement regagné le centre équestre, pense François entre deux sommes. En tout cas, notre bon vieux Dago est avec elles ; c'est l'essentiel. »

Il se trompe. Le chien trotte dans la lande, soucieux et perplexe, la tête douloureuse. Pourquoi sa maîtresse l'envoie-t-elle chercher Charlie, sa pire ennemie ? Que signifie cette mission ? Il y a de quoi être déconcerté ! Mais les ordres sont les ordres et il obéit sans discuter. Il ne prend pas la peine de suivre les rails. D'instinct, il retrouve son chemin.

La nuit touche à sa fin ; mais le brouillard est tellement épais que le soleil ne parvient pas à le percer.

Dagobert arrive au club hippique. Il s'arrête pour rassembler ses souvenirs. Qui sa petite maîtresse l'a-t-elle chargé d'alerter ? Ah ! oui ! Elle a prononcé plusieurs fois le nom « Charlie » ! La chambre de cette dernière est au premier étage, près de celle qu'Annie et Claude ont occupée.

Il entre dans la cuisine par une fenêtre ouverte, monte l'escalier et pousse une porte entrebâillée. Il pose les pattes sur le lit.

— Ouah ! ouah ! jappe-t-il à l'oreille de l'adolescente endormie. Ouah ! ouah ! ouah !

CHAPITRE 19

Dago !

Charlie dort profondément, émettant un ronflement régulier. Les coups de patte et les glapissements de Dagobert la réveillent d'un coup.

— Hein ? quoi ? qu'est-ce qu'il y a ? bégaie-t-elle, effrayée.

Elle s'assied sur le lit et cherche à tâtons, les doigts tremblants, l'interrupteur de sa lampe de chevet. La lumière jaillit et la jeune fille voit le chien qui fixe sur elle de grands yeux suppliants.

— Tiens ! Dago ? Qu'est-ce que tu fais ici ? Est-ce que les autres sont revenus ? Non, c'est impossible. Pas en pleine nuit. Pourquoi tu les as quittés, Dag ?

— Ouah ! ouah ! répète l'animal pour lui faire comprendre qu'il apporte un message.

Charlie lui caresse la tête et brusquement elle aperçoit le papier attaché à son collier.

— Tu transportes un message, on dirait ! s'exclame-t-elle.

Elle le prend et lit :

— *Nous sommes prisonnières. Suivez le chien ; il vous conduira à nous et vous pourrez nous libérer. Claudine.*

La rivale de Claude reste stupéfaite ; elle fixe Dagobert qui remue la queue avec impatience, puis relit le billet. Ensuite elle se pince pour s'assurer qu'elle ne rêve pas.

— Aïe ! Je suis bien réveillée... Qu'est-ce que c'est que cette histoire ? Claude et Annie seraient prisonnières ? Mais de qui ? Oh ! quel dommage que les chiens ne puissent pas parler !

L'animal est bien de cet avis. Sa patte tapote énergiquement le drap. Soudain l'adolescente voit la plaie qui recouvre l'arrière de sa tête. Elle est horrifiée.

— Tu es blessé, Dago ? Mon pauvre ! qu'est-ce qu'on t'a fait ? Tu as besoin d'être soigné.

Le fidèle compagnon des Cinq souffre beaucoup, mais ce n'est pas à lui qu'il pense. Il gémit et bondit vers la porte.

— Tu veux que je te suive, c'est ça ? Je ne sais pas... c'est sûrement dangereux...

— Ouah ! ouah ! rétorque Dag avec mépris.

— C'est bien gentil de faire « ouah ! ouah ! », proteste la jeune fille. Mais je ne suis pas aussi courageuse que toi. Je fais semblant... en réalité, je ne suis qu'une petite peureuse. Je n'ose pas te suivre. Qui sait ce qui m'arriverait ? On m'enfermerait peut-être avec Claude et Annie. Et le brouillard... Tu as pensé au brouillard, Dago ?

Ce dernier est excédé. Cette imbécile va-t-elle enfin se décider à le suivre ?

Soudain, Charlie se redresse. Son regard change. L'air craintif et souffreteux qu'elle arborait jusqu'à cet instant se mue en une attitude résolue.

Elle se tourne vers le chien lui annonce solennellement :

— Pour une fois, je ne vais pas céder à la lâcheté. C'est décidé. Je vais prendre mon courage à deux mains et te suivre jusqu'à la prison des filles. Je dois absolument les aider. Claude a signé de son vrai prénom, ce qui signifie que la situation est certainement très grave.

Elle se lève d'un bond et commence à s'habiller. Dagobert trépigne devant la porte, prêt à s'élancer en direction de la Lande du Mystère.

Dès qu'elle a enfilé ses chaussures, la jeune fille court aux écuries et selle Tonnerre, le cheval le plus rapide du club. Elle est de plus en plus déterminée à voler au secours des deux otages.

Fort de sa mission, Dagobert prend les devants pour guider la jeune cavalière. Celle-ci s'éclaire avec sa lampe électrique pour ne pas le perdre de vue. Le chien, impatient, court de toutes ses forces, mais s'arrête de temps en temps pour attendre son accompagnatrice et sa monture. Il n'a pas besoin de suivre la voie ferrée. Il sait très bien où il va. Tout à coup, à la grande surprise de Charlie, le chien s'arrête brusquement, la tête levée, les narines palpitantes. L'air brumeux lui apporte une odeur familière. Sûrement François et Mick ne sont pas loin ! Il a envie d'aller à eux, mais Claude et Annie l'attendent ; il ne peut pas faire de détour.

Les garçons, en effet, sont tout près, blottis au milieu d'un buisson et tremblants de froid. S'ils savaient que leurs compagnons passent à quelques mètres de leur cachette ! Mais comment le devineraient-ils ?

Dagobert poursuit son chemin sans hésita-

tion. Il contourne la carrière invisible dans le brouillard et se dirige vers la colline. Quand il s'approche du campement des gitans, il ralentit sa marche et Charlie est aussitôt sur ses gardes.

« On approche du but, pense-t-elle. Je vais descendre de cheval... Il vaut mieux ne pas faire de bruit. »

Elle attache Tonnerre à une grosse branche et poursuit à pied.

Elle est maintenant tout près du petit mont qui abrite le camp. Là, le brouillard est moins épais ; la jeune fille aperçoit une caravane éclairée par la lueur d'un feu.

« Ça alors ! Dago m'a amenée chez les bohémiens. Ce sont donc eux qui ont capturé Claude et Annie... »

L'animal halète. Son crâne lui fait de plus en plus mal, mais il n'a qu'une seule idée : rejoindre sa petite maîtresse.

Il se dirige vers l'entrée du souterrain. La jeune aventurière le suit. Comment parvient-il à retrouver son chemin dans ce dédale de couloirs ? Le chien n'a pas la moindre hésitation ; son flair le guide. Maintenant il avance péniblement et tremble de tout son corps. Il voudrait se coucher et poser sa tête douloureuse sur ses pattes. Mais non, les filles sont prisonnières. Elles ont besoin de lui !

Allongées sur le sable, les deux cousines dorment d'un sommeil agité et traversé de cauchemars. Un bruit de pas réveille Claude. Est-ce Castelli qui revient ? Mais un halètement bien connu la fait tressaillir et elle allume sa lampe de poche.

Son fidèle compagnon est affaissé à ses pieds, et Charlie entre dans le souterrain. En découvrant les otages, le pilier et les cordes, l'adolescente reste clouée sur place.

— Oh ! Bravo, mon Dago chéri, tu es allé chercher du secours ! le félicite sa maîtresse en l'embrassant. Charlotte ! je suis si contente de te voir !

— Je suis venue à cheval ; ton chien m'a guidée. Qu'est-ce qui s'est passé ?

Annie se réveille et sa surprise est grande en apercevant les visiteurs. Les trois filles entament une discussion rapide.

— Si on veut s'évader, il faut profiter du sommeil des gitans, explique Claude. Dag nous aidera à sortir des souterrains. Sans lui on ne pourra jamais retrouver notre chemin. Dépêchons-nous !

Mais l'animal est très mal en point. Un nuage flotte devant ses yeux. La voix des enfants lui paraît lointaine. Sa tête est lourde comme du plomb et ses pattes refusent de le porter. La fatigue de la course précipitée dans la lande s'ajoute aux effets du coup qu'il a reçu.

— Il est malade ! s'exclame Claude, affolée. Il ne peut pas se lever !

— C'est cette blessure à la tête, analyse Charlie. Elle est très profonde et ce long trajet a dû exiger beaucoup d'efforts. Il ne pourra pas nous guider... On va devoir se débrouiller toutes seules.

— Oh ! pauvre Dago, sanglote Annie, terrifiée de voir l'animal étendu sur le sol. On va devoir le porter ?

— Oui, acquiesce sa cousine, et elle le prend dans ses bras. Il est extrêmement lourd, mais j'y arriverai. L'air le ranimera peut-être quand on sera dehors.

— Mais comment sortir d'ici ? questionne la benjamine du groupe. Sans Dag, on ne trouvera jamais une issue.

— Il faut quand même essayer, déclare Charlie. Venez... je passerai la première. On ne peut pas rester ici.

Elle s'engage dans un couloir ; les autres la suivent. Claude porte Dagobert. Bientôt la jeune guide arrive à une bifurcation et s'arrête.

— Il faut prendre à droite ou à gauche ?

Personne ne le sait. Les filles promènent çà et là le rayon de la lampe de poche et s'efforcent de rassembler leurs souvenirs. Soudain Annie aperçoit deux bâtons, un long et un court, qui forment une croix. Elle pousse un cri.

— Regardez ! Un signe de piste !

— Mais oui ! C'est Mario qui l'a posé là pour nous ! explique sa cousine. Il faut qu'on prenne le tunnel indiqué par la plus longue branche. J'espère qu'il y en aura d'autres aux endroits difficiles !

Elles tournent à droite et poursuivent leur route ; leurs torches électriques jettent de longs rayons dans l'obscurité... Partout où elles auraient pu se tromper, elles trouvent un signe de piste, un message laissé par le petit gitan pour leur montrer le chemin.

— Une autre croix... Il faut passer par là !

— Et maintenant, on tourne de ce côté !

Elles arrivent ainsi à la fin des passages souterrains. Le brouillard les enveloppe instantanément et elles respirent avec délices l'air de la liberté.

— Il faut que je retrouve mon cheval, annonce Charlie.

Elles approchent du but quand des aboiements bruyants donnent l'alarme.

— Les chiens des bohémiens nous ont

entendues ! commente Annie, désespérée. Vite ! Courons !

Mais une voix autoritaire les interpelle :

— Je vous vois, là-bas, avec vos lampes ! Arrêtez-vous tout de suite ! Vous m'entendez ? Arrêtez-vous !

CHAPITRE 20

Une matinée bien remplie

Le jour se lève. La brume a pris une teinte blanchâtre et se dissipe rapidement. Les trois filles courent vers le cheval qui frappe du pied avec impatience sous les bouleaux. Claude reste un peu en arrière, car Dagobert est vraiment très lourd.

Soudain il se débat. Ranimé par l'air frais, il ne veut plus être porté. Sa maîtresse le pose à terre avec soulagement et il aboie pour effrayer les gitans qui sortent des caravanes.

— Comment faire pour éviter qu'ils nous rattrapent ? s'écrie Charlie, terrifiée. À tous les coups, ils vont lancer leurs molosses à nos trousses !

— Il faut qu'on monte toutes les trois sur le dos de Tonnerre ! déclare Annie.

— Est-ce qu'il supportera le poids de trois cavalières ?

— On ne pèse pas lourd, et je suis plus légère que vous. Je m'installerai sur le garrot, et vous sur la selle et sur la croupe. De toute façon, on n'a pas le choix !

Elles grimpent sur le cheval, qui accepte sans protester le triple fardeau. La benjamine des Cinq s'empare des rênes et, d'un claquement de la langue, donne à l'animal le signal du départ. Dagobert, qui reprend rapidement des forces, trotte sans se laisser distancer.

Les bohémiens se lancent à leur poursuite en brandissant leurs poings et en hurlant. Castelli se demande par quel miracle ses deux otages ont réussi à s'évader. Et qui est cette autre personne qui monte le cheval ? Qui l'a amenée jusqu'à la colline ? Pourquoi ce chien n'a-t-il pas rempli sa mission ?

Les hommes courent à toutes jambes, mais leurs dogues se contentent d'aboyer. Ils ont peur de Dagobert !

Tonnerre galope aussi vite que le lui permet le brouillard. Claude, toujours inquiète pour son fidèle compagnon, craint qu'il ne puisse arriver jusqu'au centre équestre. Elle jette un coup d'œil par-dessus son épaule. Les poursuivants restent loin derrière et ne les rattraperont pas.

Le soleil s'est levé. Bientôt il dissipera cette brume étrange qui a envahi si brusquement la lande. Annie jette un coup d'œil à sa montre... Déjà presque six heures du matin. Que d'événements depuis la veille !

« Je me demande où sont mes frères... » songe la fillette.

François et Mick sont toujours tapis dans leur buisson. Quand leurs montres marquent cinq heures moins le quart, ils ne peuvent plus supporter leur inaction.

Ils sortent du bosquet, mouillés et ankylosés, s'étirent et cherchent à s'orienter.

— Marchons, propose l'aîné des Cinq. Ça nous réchauffera. J'ai ma boussole. En nous dirigeant vers l'ouest, on arrivera au bord de la lande, pas très loin du village.

Ils se mettent en marche ; leur lampe de poche, dont la pile s'épuise, ne répand plus qu'une faible clarté.

— Elle s'éteindra bientôt, bougonne Mick en la secouant. Zut !

Son frère trébuche et peine à reprendre son équilibre.

— Braque le faisceau par ici ! ordonne-t-il.

Le rayon lumineux tombe sur l'obstacle sur lequel le jeune garçon a failli chuter.

— Pas possible ! Un rail ! On est de nouveau sur la voie ferrée. Quelle chance !

— On est sauvés ! renchérit Mick. Ne perdons plus de vue ce chemin de fer ! Tâtons-le avec nos pieds.

— Quand je pense qu'on en était si proches et qu'on ne le savait pas... gémit François. On pourrait avoir regagné le centre équestre depuis longtemps. J'espère que les filles sont rentrées et ne sont pas trop inquiètes pour nous.

Vers six heures, ils atteignent le club d'équitation, morts de fatigue. Tout le monde dort encore, semble-t-il. Mais le portail est ouvert ; Charlie ne l'a pas refermé. Ils montent tout droit à la chambre de Claude et d'Annie.

Bien entendu, ils n'y trouvent personne. La chambre voisine, évidemment, est vide elle aussi...

— Appelons Mme Girard, conseille Mick.

Ils frappent à la porte. Réveillée en sursaut, la propriétaire du centre est étonnée et effrayée de les voir, car elle les croit sous leur tente dans la lande. Sa terreur augmente quand elle apprend la disparition des filles.

— Où sont ces enfants ? s'écrie-t-elle en enfilant une robe de chambre. C'est très grave ! Elles se sont peut-être égarées... Oh ! Pourquoi vous ai-je donné la permission de camper !

Elle réveille son mari et lui explique la situation.

— Je vais téléphoner aux gendarmes immédiatement, décide M. Girard.

Il vient à peine de raccrocher le combiné qu'une galopade résonne dans la cour.

— Qui est là ? s'étonne son épouse. Un cheval ! Mais... C'est Tonnerre ! Qui peut arriver à cette heure matinale ?

Ils courent tous à la fenêtre. Mick pousse un cri de joie.

— Les filles ! Les voilà ! Et Dago aussi. Et Charlie !

Annie l'entend et lève les yeux. Malgré sa fatigue, elle agite gaiement la main en souriant. Claude hèle ses cousins.

— Oh ! Vous êtes de retour ! C'est bien ce qu'on espérait. Après votre départ, on s'est trompées de chemin et on est retournées à la carrière.

— Et les gitans nous ont emprisonnées dans un souterrain ! poursuit la benjamine du groupe.

— Mais que fait donc Charlie dans cette affaire ? interroge la pauvre Mme Girard qui croit rêver. Et qu'est-il arrivé à Dago ?

Le chien s'est affaissé par terre. Sa chère maîtresse ne risque plus rien ; il peut maintenant poser sa tête douloureuse sur ses pattes et s'endormir. Claude saute du cheval.

— Dag ! Mon chéri ! Aidez-moi ! Je vais le porter dans ma chambre et je soignerai sa blessure.

Tous les pensionnaires sont réveillés et accourent en pyjama, poussant des exclamations. Le propriétaire du club n'arrive pas à rétablir l'ordre. Charlie essaie de calmer Tonnerre que ce vacarme excite, et tous les coqs de la ferme voisine choisissent ce moment pour lancer de bruyants cocoricos.

Soudain la brume se dissipe et le soleil paraît, rayonnant.

— Enfin ! soupire Annie. Plus de brouillard ! Le soleil brille ! Courage, Dago... Nos épreuves sont finies.

Elle aide sa cousine à monter l'animal au premier étage. Mme Girard examine sa blessure et la lave.

— Il aurait fallu des points de suture, remarque-t-elle. Mais la plaie semble déjà se cicatriser. Il faut être une brute pour frapper un chien !

Au même moment, une voiture bleue franchit le portail. Deux gendarmes ont été envoyés pour aider à rechercher les fillettes disparues. Ils ne savent pas qu'elles sont revenues au centre équestre.

— Je suis désolée de vous avoir dérangés, s'excuse M. Girard. Les enfants arrivent à l'instant. L'essentiel c'est qu'elles soient saines et sauves.

— Attendez, intervient François. Je crois qu'on aura besoin de la police. Il faut que vous vous rendiez à la lande !

— Pourquoi ? demande le brigadier en prenant un calepin.

— On campait là-bas. Un avion est passé, il est descendu très bas, guidé par une lampe placée par les bohémiens.

— Une lampe placée par les bohémiens ? répète l'homme, surpris. Pourquoi l'avion avait-il besoin de leur aide ? Je suppose que l'appareil a atterri ?

— Non ! Il est revenu la nuit suivante et a recommencé la même manœuvre. Il est descendu et a tourné en rond. Mais cette fois, il a jeté des paquets.

— Vraiment ? Pour que les gitans les ramassent ?

— Exactement, répond le garçon. Mais le pilote a mal visé et les ballots sont tombés autour de nous... presque sur nos têtes.

— Vous avez ramassé quelques-uns de ces colis ? demande le gendarme.

— Oui, et on en a ouvert un.

— Que contenait-il ?

— Des billets de banque ! Un seul paquet en contenait plusieurs liasses. Une vraie fortune éparpillée autour de nous !

Le brigadier échange un regard avec son coéquipier.

— Voilà l'explication du mystère qui nous intriguait tant, hein, Bertrand ?

L'autre homme hoche la tête.

— En effet. Tout est clair maintenant. C'est comme ça que les faux billets sont introduits en France. Un simple petit trajet en avion. Ils sont fabriqués en Angleterre et, par l'intermédiaire des gitans, parviennent à une bande qui a son quartier général aux environs de Paris et qui les met en circulation. On surveille ces gens depuis quelque temps ; on savait que des fausses devises parvenaient en France. Mais on ignorait comment elles arrivaient et quels étaient les intermédiaires.

— Grâce à vous, nous voilà renseignés ! ajoute son collègue. Quel beau coup de filet ! Vous avez découvert ce que nous avons cherché pendant des mois.

— Où sont ces paquets ? demande Bertrand.

— On les a cachés, explique François. Mais je suppose que les gitans vont faire tout ce qu'ils peuvent pour les retrouver. Allons vite les chercher !

— Où les avez-vous mis ? Dans un endroit sûr, j'espère...

— Oh ! oui ! assure le jeune aventurier. Je vais appeler mon frère, il nous accompagnera. Mick ! Viens vite ! Les brigadiers viennent de m'annoncer une nouvelle qui t'intéressera !

CHAPITRE 21

Le mystère est éclairci

Mme Girard est stupéfaite quand elle apprend que les deux frères ont décidé de retourner dans la lande avec les gendarmes.

— Mais ils sont morts de fatigue ! proteste-t-elle. Et ils n'ont même pas eu le temps de manger ! Vous ne pouvez pas attendre un peu ?

— J'ai peur que non, avoue le brigadier. Ne vous inquiétez pas, madame. Ces garçons sont solides !

— Je dois reconnaître que j'ai l'estomac dans les talons... confie Mick. On n'a pas dîné hier soir. Les gitans ne retrouveront certainement pas les paquets, vous savez...

— Bien, cède l'homme en remettant son calepin dans sa poche. Déjeunez, nous partirons après.

Les filles veulent être de l'expédition.

— Quoi ? Vous ne voulez pas de nous ? s'indigne la maîtresse de Dagobert. Hors de question ! Je viens ! Annie aussi !

— Et Charlie ! ajoute sa cousine. C'est elle qui nous a sauvées !

— Mais oui, bien sûr, accepte Claude.

Cette dernière admire le courage que son ancienne rivale a montré pendant la nuit.

Mme Girard se hâte de préparer un petit déjeuner copieux. Aux tartines beurrées et au chocolat chaud habituels, elle ajoute des œufs au plat. Tout en servant les jeunes héros, elle pousse des exclamations ; les événements des dernières vingt-quatre heures lui paraissent invraisemblables.

— Cet avion qui a lancé partout des billets de banque... Et Annie et Claude prisonnières dans un souterrain ! Décidément on aura tout vu !

Son époux annonce qu'il veut être de la partie. Il peine à croire, lui aussi, à l'aventure extraordinaire que ses pensionnaires ont vécue. Dagobert a maintenant la tête ornée d'un magnifique pansement et il se réjouit d'avance de l'émerveillement de Flop.

Toute la troupe se met donc en mouvement. Les garçons montent dans la voiture des gendarmes, tandis que les filles voyagent à bord de la camionnette des Girard.

Ils arrivent enfin à la carrière après avoir suivi la voie ferrée. François sort du véhicule et fait un geste vers la colline.

— Regardez... les gitans s'en vont ! Ils ont dû deviner qu'ils seraient recherchés par la police après l'évasion de Claude et d'Annie !

Les caravanes, en effet, s'éloignent lentement.

— Bertrand ! interpelle le brigadier-chef. Dès votre retour à la gendarmerie, vous donnerez l'ordre qu'on surveille les allées et venues des gitans. L'un d'eux se rendra sûrement aux abords de Paris pour informer le chef de la bande de ce qui s'est passé la nuit dernière ; en le suivant, nous arrêterons tous les escrocs qui sont mouillés dans l'affaire des faux billets.

— Je parie que c'est le père de Mario qui se charge de cette mission, déclare Mick. Il avait l'air de tout diriger au campement.

Tous suivent des yeux le convoi qui s'éloigne. Annie pense à Mario. Claude aussi. Que lui a-t-elle promis la nuit dernière pour le récompenser de son aide ? Un vélo... Elle ne reverra probablement jamais le petit garçon... mais si elle le retrouve un jour, elle s'arrangera pour tenir sa promesse !

— Où est donc votre incroyable cachette ? demande le brigadier à François qui a refusé jusqu'alors d'en révéler l'emplacement.

— Suivez-nous ! dit l'aîné des Cinq en riant, et il les conduit jusqu'au fourré d'ajoncs où est dissimulée la vieille locomotive.

— Qu'est-ce que c'est que ça ? demande le gendarme stupéfait.

— C'est la vieille locomotive qui traînait les wagons pleins de sable à l'époque où les Barthe occupaient la lande, explique Mick. D'après le vieux Baudry, une querelle s'est élevée, il y a bien longtemps, entre les propriétaires de la carrière et les gitans. Ceux-ci ont arraché les rails ; le petit convoi a déraillé ; la locomotive est là depuis ce temps. Les neuf frères, eux, ont été massacrés la même nuit... Les bohémiens m'ont l'air d'être des gens très rancuniers !

— En ce qui concerne les Barthe, les gitans ne sont pas entièrement responsables de leur disparition, tempère le brigadier-chef. Mon grand-père était gendarme dans la région lorsque cette terrible affaire a eu lieu. D'après l'enquête qu'il a menée, la vraie coupable de la mort des neuf colosses était leur propre sœur, Agnès. Le maréchal-ferrant vous a parlé d'elle ?

Les jeunes aventuriers restent interdits.

— Oui... murmure Claude. Mais il a aussi

dit que cette femme était malade. Il a même précisé qu'elle était devenue muette après l'assassinat de sa famille, tant le choc avait été grand...

— D'après mon grand-père, reprend l'homme, Agnès Barthe voulait se fiancer avec l'un des gitans. Mais ses frères se sont opposés à cette union, car ils estimaient que les gens du voyage n'étaient pas fréquentables. Ils lui ont interdit de revoir son prétendant et ont chassé le clan de la lande. Furieuse, la petite sœur a alors demandé aux bohémiens de démolir la voie ferrée et les convois de sable. Et finalement, elle leur a donné l'ordre de se débarrasser des neuf Barthe...

Ses auditeurs le scrutent de leurs regards ébahis.

— Mais comment se fait-il qu'Agnès n'ait pas été envoyée en prison ?

— Elle a toujours réussi à garder son secret. Elle a prétendu que le choc causé par la disparition de ses frères l'avait rendue muette. Aussi, personne n'a jamais pu l'interroger.

— Et votre grand-père ? Comment a-t-il su la vérité ? questionne Mick.

— Peu de temps avant sa mort, il y a deux ans, il a rencontré par hasard le gitan qui devait se fiancer avec Agnès. Ce dernier lui a tout raconté. Il lui a aussi expliqué qu'en découvrant la cruauté de sa bien-aimée il a préféré s'éloigner d'elle ; tous deux ne se sont jamais revus...

Les Cinq méditent cette histoire tragique.

— Allez, assez bavardé ! reprend le brigadier. Où sont cachés les paquets ?

François se dirige vers la cheminée, écarte une branche d'ajonc, déblaie quelques poignées de sable et tire un des ballots. Il est très soulagé, car il a eu peur de ne pas les retrouver.

— Voilà ! dit-il fièrement. Il y en a d'autres. Dans une minute, j'arriverai à celui que j'ai ouvert... Oui, c'est celui-là !

Les gendarmes félicitent les garçons du choix de leur cachette. Personne, pas même les gitans, n'aurait pensé à inspecter la cheminée de cette vieille locomotive ! Le chef scrute les billets et siffle.

— Eh bien... L'imitation est parfaite. Ces bandits auraient pu escroquer beaucoup de monde ! Combien de colis avez-vous ramassés ?

— Des dizaines, révèle Mick, qui les sort au fur et à mesure du trou. Je ne peux pas atteindre ceux qui sont au fond.

— Ce n'est pas grave ! le rassure Bertrand. Recouvrez-les de sable ; nous enverrons un de nos hommes qui récupérera le reste. Castelli ne

mnth

reviendra sûrement pas. C'est un coup de filet extraordinaire. Vous nous avez rendu un grand service.

— Tant mieux, se réjouissent les deux frères. On va chercher nos affaires. Hier, on est partis précipitamment ; on a laissé nos tentes et tout le reste !

Claude les accompagne dans la carrière. Dagobert, qui trotte près d'elle, se met à grogner et la jeune fille le retient par le collier.

— Qu'est-ce qu'il y a, Dag ? Tu crois qu'il y a quelqu'un ici ? Peut-être un des bohémiens !

Mais le chien cesse de gronder et remue la queue. Il échappe à sa maîtresse et court vers une des petites grottes. Son pansement le rend très comique.

Flop sort de la caverne et, dès qu'il aperçoit son ami, il se met à faire des cabrioles. L'autre le contemple avec étonnement. Drôle d'énergumène ! Est-ce qu'il va marcher sur la tête ?

— Mario ! s'écrie alors la jeune fille. Viens ! Je sais que tu es là !

Un visage pâle et inquiet apparaît à l'entrée de la cavité. Quelques minutes plus tard, le petit garçon, tremblant de peur, est debout dans la carrière.

— Je me suis sauvé ; je les ai quittés, confie-

t-il avec un geste en direction de la colline. Tu m'avais promis un vélo, ajoute-t-il en reniflant.

— Je n'ai pas oublié. Tu l'auras. Si tu n'avais pas laissé ces signes de piste dans le souterrain, on n'aurait pas pu s'échapper.

François observe l'enfant. Il est attristé par ce malheureux petit, qui a fui la caravane de son bandit de père. Comment va-t-il vivre désormais ?

— On va t'emmener chez M. et Mme Girard. Je suis sûr qu'ils seront ravis de t'héberger pour un temps.

Le garçonnet renifle.

— Où sont tes mouchoirs ? interroge Claude.

Il sort l'étui plastifié de sa poche, toujours plein et hermétiquement fermé.

— Tu es incorrigible ! s'esclaffe l'adolescente. Oh ! regardez Flop en admiration devant Dagobert et son pansement. Ne te pavane pas tant, Dago ; tu es beaucoup moins beau que d'habitude, tu sais !

M. Girard rentre au club hippique accompagné de ses jeunes pensionnaires et de Mario. Midi approche et le grand air a ouvert l'appétit des enfants. Une odeur alléchante les accueille. Leur hôtesse a préparé un excellent déjeuner. Les aventuriers montent dans leurs chambres pour changer de vêtements. Claude entre dans celle de Charlie.

— Merci beaucoup, dit-elle. Tu nous as sauvées. Un vrai garçon !

— C'est gentil, répond l'autre, surprise. Toi aussi, tu es un vrai garçon !

Mick, qui marche à cet instant dans le couloir, les entend. Il se met à rire et passe la tête à la porte.

— Et moi, alors ? Je suis une fille, peut-être ? plaisante-t-il.

Une brosse et une chaussure lui sont jetées à la tête et il s'enfuit en riant.

Annie se penche à la fenêtre de sa chambre pour contempler la lande. Comme elle paraît sereine et paisible sous le soleil d'avril ! Elle ne cache plus aucun mystère, maintenant.

« Quand même, elle porte bien son nom, songe la fillette. Elle a vraiment été témoin de nombreux mystères... Et grâce à elle, le Club des Cinq a vécu une aventure passionnante ! »

FIN

Tu as aimé cette histoire ?
Retrouve toutes les aventures
du **CLUB DES CINQ**
en Bibliothèque Verte !

Les as-tu tous lus ?

Tome 1

Tome 2

Tome 3

Tome 4

Tome 5

Tome 6

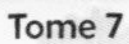
Tome 7

Tome 8

Tome 9

Tome 10

Tome 11

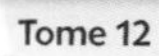
Tome 12

Tome 13

Table

PAPIER À BASE DE
FIBRES CERTIFIÉES

hachette s'engage pour
l'environnement en réduisant
l'empreinte carbone de ses livres.
Celle de cet exemplaire est de :
700g éq. CO_2
Rendez-vous sur
www.hachette-durable.fr

Photogravure Nord Compo - Villeneuve-d'Ascq
Imprimé en Roumanie par Rotolito Romania
Dépôt légal : février 2020
Achevé d'imprimer : septembre 2020
17.1175.1/04 – ISBN 978-2-01-712057-5
Loi n° 49956 du 16 juillet 1949
sur les publications destinées à la jeunesse